★ 超级电脑学校 ★ 计算机公共基础教程

实用 超值 易懂

Photoshop

创意与设计一本通

PHOTOSHOPCHUANGYIYUSHEJIYIBENTONG

浅显易懂
版式美观
指导性强

张成龙◎编著

- ★ 本书以"基础"和"实用"为两大基点
- ★ 涉及广告设计、色彩加工、艺术创作等领域
- ★ 平面设计的知识点尽在其中
- ★ 提供了无数的灵感和创意
- ★ 详尽的操作描术与紧凑的版式设计
- ★ 内容与形式统一，追求最佳效果

延边人民出版社

图书在版编目（CIP）数据

计算机公共基础教程/张成龙 编著 . —延吉：延边
人民出版社，（2011 重印）

ISBN 978 - 7 - 80698 - 391 - 1

Ⅰ. 计... Ⅱ. 张... Ⅲ. 电子计算机—教材
Ⅳ. TP3

中国版本图书馆 CIP 数据核字（2005）第 010473 号

计算机公共基础教程·photoshop 创意与设计一本通

编　　著：张成龙
责任编辑：张光朝
出版发行：延边人民出版社
社　　址：吉林省延吉市友谊路 363 号
邮政编码：133001
网　　址：http：//www. ybcbs. com.
经　　销：全国新华书店
印　　刷：北京市德美印刷厂
开　　本：787×1092 毫米　1/16
印　　张：176
字　　数：2800 千字
版　　次：2011 年 2 月第 2 次印刷
标准书号：ISBN 978 - 7 - 80698 - 391 - 1
全套定价：260. 00 元（本册定价 26. 00 元）

前　言

　　本套丛书是"21 世纪全国高职高专计算机应用专业教材"之一,是根据国家教育部高等教育司制定的《普通高等学校计算机基础教学大纲》和当前高职高专计算机应用专业的实际需要而编写的。主要面向全国高校大专类别的计算机应用专业作为教材或参考资料使用,也可社会上各阶层人士作为对计算机入门学习的参考书。

　　计算机科学是信息科学的一个重要组成部分。我们应立足于 21 世纪对人才在计算机方面的需求来考虑对他们的培养。加强计算机基础教育,不仅是人们掌握现代化的信息处理工具,同时也是一种文化基础教育,一种人才科学素质教育,一种强有力技术的基础教育。综合国力的竞争,很大程度上取决于现代科学技术的普及程度,因此怎样将计算机科学知识迅速而有效地普及到全社会。也就成了各国家、各民族,特别是发展中国家和民族一件具有紧迫感的任务。

　　为此,我们必须对学生加强计算机基础知识教育。不权要培养他们具有计算机文化意识,而且要培养他们真正掌握现代化的信息处理工具。高等学校各类学生,特别是专科学生,毕业后大多是社会的应用型人才,这就要求他们熟练掌握计算机的应用,以满足日常工作中的文字、图像、声音、动画等数据处理,并能用计算机网络在全球范围内与他人交流信息、搜索查找所需的信息,自由地共享网上无穷丰富的软硬件资源。因此我们的教学也应当从实际出发,着重计算机基础应用教育。本丛书作者根据多年高职高专计算机应用专业教学实践积累的经验,从社会实际需要出发,编写了这套教材,目的是希望广大读者通过本丛书的系统学习与大量的同步实际操作,能更快、更好地掌握计算机实际操作技能。

　　本丛书在编写过程中得到了北京科技大学信息工程系和计算机中心有关领导的大力支持,在此表示衷心的感谢。限于编者水平,对于本丛书中出现的错误和不足之处,诚恳希望广大读者不吝批评和赐教。

编　者

目 录

Part 1 技能入门篇

Part 2　技能提高篇

第 15 章　制作特效文字案例——技能提高

第 16 章　包装设计案例——技能提高

第 17 章　宣传设计案例——技能提高

第 18 章　实物绘制案例——技能提高

第一章 Photoshop 平面设计基础

本章导读：

Photoshop 是目前世界上最强大的图像处理软件，被广泛地应用于平面设计、网页制作、三维动画和多媒体开发等领域。Photoshop 以其强大的功能、易操作的工作环境，成为众多设计师、艺术家进行艺术创作时的首选。

本章介绍了 Photoshop 的发展历史、安装、启动、退出和图像相关的基础知识。

技能提要：

了解 Photoshop 的发展、功能及应用。
了解 Photoshop CS3 的新增功能。
掌握 Photoshop CS3 的安装、启动和退出。
全面了解图像的分类、分辩率、图像的色彩和格式。

1.1 第一次接触 Photoshop

Adobe Photoshop 是目前世界上最强大的图像处理软件，被广泛地应用于平面设计、网页制作、三维动画和多媒体开发等领域。随着 Adobe 公司不断对其升级、更新，Photoshop 的功能也更趋完美。Photoshop 以其强大的功能、易操作的工作环境，被誉为图像处理解决方案的标准。

1.1.1 认识 Photoshop 的发展

1.了解 Photoshop 的历史

Photoshop 是由美国密歇根大学的一位研究生托马斯·诺尔 (Tomas Knoll) 和他的哥哥约翰·诺尔 (John。Knoll)，于 20 世纪 80 年代因偶然的兴趣而开发的一个用于解决电脑显示器正常显示灰阶图像的小程序。最初该程序的名字叫做 Display，后来又接受了他人的建议，将.Display 正式更名为 Photoshop。

由于当时的 Photoshop 程序非常小巧，且比较实用，因此一经推出便被众人所认可。1988 年，Adobe 公司同托马斯·诺尔兄弟签订了"授权销售"的合同，以后又将其完全收购。经过无数程序员对 Photoshop 不断的开发与改进，终于奠定了今天 Photoshop 在平面设计领域不可动摇的霸主地位。

2.Photoshop 的发展

1990 年 2 月，Adobe 公司发布了：Photoshop 1.0，凭借着小巧的代码(仅有 800：KB)、实用的功能、简易的操作，Photoshop 1.0 最终战胜了竞争对手 Color-.Studio。

1991 年 2 月发布 Photoshop 2.0，Photoshop 2.0 引发了世界桌面出版印刷的革命，从此 Photoshop 成为了行业的标准。

1992 年 11 月发布了基于 Windows 平台的 Photoshop 2.5，由于 Photoshop 2.5 在内存处理上存在有缺陷，因而 Adobe 公司紧接着又推出了改进版本 Photoshop 2.5.1。

1994 年 4 月发布 Photoshop 3.0，由于 Photoshop 3.0 存在着诸多缺陷，最终导致 Adobe 公司将其全部收回，造成了很大的负面影响。

1996 年 11 月发布 Photoshop 4.0，重获成功的 Photoshop 4.0 为 Adobe 公司带来了丰厚的利润，Adobe 认识到了 Photoshop 的前景，并在这一年与诺尔兄弟重新签订了合同，完全买断了 Photoshop 的所有权。

1998 年 5 月发布 Photoshop 5.0,Adobe 为 Photoshop 5.0 添加了一些具有历史性的新功能(例如,图层样式、历史调板),使 Photoshop 继续保持着良好的销售业绩。

1999 年 2 月发布 Photoshop 5.5,由于开始支持 Web,并集成了 Image Ready 程序,弥补了 Photoshop 5.0 在网页上的缺陷,因此,Photoshop 5.5 取得了巨大的成功。

2000 年 9 月发布 Photoshop 6.0,Photoshop 6.0 将原来的"选项"调板重新组合,并将选项工具栏置于菜单栏下,随着使用的工具的不同而显示相关的功能信息,使操作更加方便,并且与 Adobe 其他软件之间的协调性、兼容性都大为提高。

2002 年 3 月发布 Photoshop 7.0,Photoshop 7.0 非常及时地添加了能更方便地处理由数码相机生成的原始图片的功能。

2003 年 9 月发布 Photoshop CS,从这一版本起,不再采用以往的习惯叫法一 Photoshop8.0,而是改名称为 Photoshop Creative Suite 即 Photoshop CS。Photoshop CS 与 Adobe 其他系列产品组成了一个套装软件,相互间的合作更加协调、顺畅,且涉及的领域更加广泛。

2005 年 5 月发布 Photoshop CS 2.0,Photoshop CS 2.0 是对数字图形编辑和创作专业工业标准的又一次重要更新,它同时也是 Adobe Creative Suite 2 的核心软件。

2006 年 12 月发布:Photoshop CS 3.0,Photoshop CS 3.0 不仅仅是在视图操作界面上有了重大变换,而且已经开始涉足三维领域,给常用。Photoshop 对三维效果图处理的创作者带来更多惊喜。

1.1.2 了解 Photoshop 的应用

Photoshop 强大的图像编辑功能可令您轻易地成为一流的绘画大师,使用神奇的通道和图层又能让您创作出超现实主义的绘画作品;而当您想要设计图文并茂的印刷出版物时,Photoshop 又能为您的图形处理提供强有力的支持;Photoshop 的 Web 制作功能又可为您设计的网页提供丰富的图形素材和动画插图,并能使之在浏览器中完美展现(如图 1-1 所示)。

图 1-1

用户所创作的三维效果图,也可以在 Photoshop 中进行后期材质处理,从而获得更逼真的效果。使用 Photoshop 还可以为您的摄影作品增添更精彩的效果,使原来复杂的后期暗房工作轻松完成。如果您需要制作多媒体电子出版物,也可以用 Photoshop 程序对图片进行处理,再置入到相应的软件中。

1.2 Photoshop CS3 新增功能

Photoshop CS3 在 Photoshop CS2 原有的基础上又新增以下诸多实用功能:

·Photoshop CS3 的工具栏变成可伸缩的单列和双列形式。工具栏上的快速蒙版模式和屏幕切换模式也改变了切换方法。工具栏的选择工具选项中多了一个组选择模式,可以自己决定选择组或者单独的图层。

·新增了一个比魔棒工具更好用的快速选择工具。用快速选择工具在图像颜色区中涂抹即可轻松选取颜色选区。

·所有选择类工具都新增了一个重新定义选区边缘的"调整边缘"选项。通过"调整边缘"对话框可以设置选区边缘的半径、对比度、平滑度、羽化、收缩和扩展等属性。另外通过"调整边缘"对话框，还可将选区在多种预览模式间切换，例如，标准、快速蒙版、黑底、白底和蒙版模式等预览模式(如图1-2所示)。

·为了更好地编辑图像，减小浮动调板占用屏幕的比例，Photoshop CS3中所有的浮动调板均可缩小为小巧的图标，只需单击目标图标，即可快速弹出相应的调板。

·新增了一个"仿制源"调板，并与仿制图章工具配合使用。通过该调板可以定义多个采样点，这与Word的剪贴版可粘贴多个内容类似。采样点可以进行重叠预览，提供具体的采样坐标，还可以对采样点进行移位缩放、旋转、混合等操作。

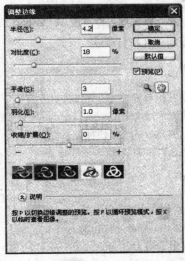

图1-2

·Adobe Bridge程序的启动速度比以往的版本大大提高，而且在其预览框中不仅可以对预览图像进行局部放大，还可移动、旋转。如果选取了多个图像，还可以同时对其预览。Adobe Bridge还新增了一项查看Flash FLV视频文件的功能。

图1-3

·在.Adobe:Bridge 窗口中,选取了多个图像,然后按下快捷组合键【Ctrl+G】,即可将这些图像堆栈在一起(如图 1-3 所示),以显示更多的其他图像。如果按下组合键【Shif't+Ctrl+G】,则又可以将堆栈在一起的图像展开。

·在"新建"对话框"预设"下拉列表框中新增了移动设备、胶片和视频等尺寸预设值。比如常用的网页 Banner 尺寸,再比如常见的手机屏幕尺寸等。

1.3　Photoshop CS3 的安装、启动与退出

1.3.1　Photoshop CS3 的安装

Photoshop CS3 与其他 Windows 程序安装没有什么区别,在 Adobe CS3 安装文件包中选择 Photoshop CS3 程序后单击"下一步"按钮,程序即可开始自动进行安装。

1.3.2　Photoshop CS3 的启动

启动 Ptiotoshop CS3 程序与启动其他程序基本上相同,主要有以下 3 种启动方法:

(1)执行"开始"▶▶"所有程序"▶▶"Adobe Design Premium CS3"▶▶"Adobe Photoshop CS3"命令。

(2)直接双击 windows 桌面上的 Photoshop CS3 快捷图标。

(3)选择 Windows 快速启动栏中的 Photoshop CS3 程序命令。

1.3.3　Photoshop CS3 的退出

Photoshop CS3 程序的退出主要有以下几种方法:

(1)在 PhotoshopCS3 程序窗口中单击"关闭"按钮。

(2)执行【文件—关闭】命令(快捷组合键 Ctrl+W)。

(3)单击 Photoshop CS3 程序窗口左上角的 PS 图标,在弹出的下拉菜单中选择"关闭"命令(组合键【Alt+F4】),即可退出 Photoshop CS3 程序。

1.4　图像相关基础知识

在使用 Photoshop CS3 之前,先让我们一起来了解一下计算机图像编辑的基本知识。这些理论虽然说不是很多,但却是每一个从事平面设计、网页设计、图像处理人员必须牢牢掌握的最重要理论基础。

1.4.1　图像的分类

在计算机绘图设计领域中,图像基本上可分为点阵图(Raster Image)和矢量图(VectorImage)两类,点阵图与矢量图各有优缺点,适用于不同的场合。

1.点阵图

点阵图不是由纯粹的数学公式来创建和存储的, 用户在决定创建这种类型的图形时必须指定分辨率和图像尺寸。点阵图在放大到一定的程度时我们就可以发现它是由一个个小方格组成的,如图 1-4 所示。

这些小方格被称为像素(Pixel)。一个像素是图像中最小的图像元素。一幅位图图像包括的像素点可以达到数百万个。

与矢量图相比,点阵图最大的优势在于它能够很好地表现出物体的真实"质感"来。因此利用 Photoshop 程序所绘制的图像可以轻易地模仿出真实物体质感,有的甚至达到了以假乱真的程度。点阵图的缺点就是在放大或缩小时图像会变得模糊,尺寸大小同样的图像,点阵图文件一般都要比矢量图文件大,并且图像编辑操作起来不像矢量图那样方便、灵活。

图 1-4

2.矢量图

　　矢量图是由一些用数学方式描述的曲线组成的，其基本组成单元是锚点和路径。不论放大缩小多少倍，它的边缘都始终是平滑的(如图 1-5 所示)。因此，矢量图最适合制作卡通插图、商业徽标、企业标志等需要经常缩放的图形，这些图形无论用于商业信纸，还是，招贴广告，只用一个电子文件就能满足要求，可随时缩放，而效果一样清晰。

图 1-5

　　矢量图也称为物件导向图形，矢量图无法通过扫描、数码相机或从一张柯达 Photo CD 中获得，它们得依靠图形设计软件来绘制，诸如 Mustrator、CorelDraw、FreeHand、AutoCAD 等矢量软件。

1.4.2　图像分辨率

要想制作出高质量的图像，就必须先理解图像大小和分辨率这两个概念。图像要以多大尺寸在屏幕上显示取决于三个因素——图像的像素大小、显示器的分辨率大小与显示器的物理尺寸大小。

1.像素的大小

像素的大小指的是位图图像高度和宽度上的像素数量。例如，在 15 英寸的显示器中水平显示 800×600 个像素，即尺寸为 800px×600px 的图像将充满此屏幕，在像素设置比 800pX×600px 设置更大的显示器上，同样大小的图像仍将充满屏幕，但每个像素会更大。

2.分辨率

分辨率(Resolution)是指图像在一个单位长度内所含的像素个数，其单位为像素／英寸或像素／厘米。分辨率可以表示图像文件包括的细节和信息量，也可以表示输入、输出或者显示设备能够产生的清晰度等级。在处理位图时，分辨率同时影响最终输出的质量和文件的大小。分辨率可分为图像分辨率、显示器分辨率、打印输出分辨率、印刷分辨率和位分分辨率 5 种。

·图像分辨率：图像分辨率和图像大小之间有着密切的关系。图像分辨率越高，所包含的像素越多，也就是图像的信息量就越大，因而文件也就越大。通常文件的大小是以 MB(兆字节)为单位的。一般情况下，一个幅面为 A4.大小的 RGB 模式的图像，若分辨率为 300ppi，则文件大小约为 20MB 左右。而在 ImageReady 程序中，图像的分辨率始终是 72ppi。这是因为 ImageReady 应用程序创建的图像是专门用于联机介质而非打印介质。图像的分辨率＝图像的挂网频率×2。

·显示器分辨率：显示器分辨率是指显示器上每单位长度显示的像素或点的数量，通常以点／英寸(dpi)来表示。显示器分辨率取决于显示器的大小及其像素设置。现在绝大多数新型显示器的分辨率为 96dpi，而较早的：Mac OS 显示器的分辨率为 72dpi。了解显示器分辨率后，我们就可以理解为什么图像在屏幕上的显示尺寸不同于其打印尺寸了。当图像像素直接转换为显示器像素时，这意味着若图像分辨率比显示器分辨率高，那么在屏幕上显示的图像就比其打印尺寸大。例如，在 72dpi 的显示器上显示 1×1 英寸的 144ppi 的图像时，它在屏幕上显示的区域为 2×2 英寸。这是因为显示器每英寸只能显示 72 个像素，因此需要 2 英寸来显示图像一条边的 14J4 个像素。

·打印输出分辨率：打印输出分辨率主要是指所有的激光打印机(包括照排机)产生的每英寸的油墨点数 dpi(Dotperinch 每英寸点数)。即图像文件通过输出设备输出时，我们用 dpi 来描述打印机的输出质量，用 lpi((Jne per inch 每英寸线数)来描述印刷品质量。通常 ppi 和 dpi 可以使用相同的数值，而不会影响图形的输出质量。而用于印刷的图片如何设定 ppi 数值，则需要通过一个公式来换算：(1.5～2)×1pi 数＝ppi 数。

·印刷分辨率：印刷分辨率也称为挂网精度，挂网精度越高，印刷成品就越精美，但还与印刷纸张、油墨等有较大关系。如果您在一般的新闻纸(报纸)上印刷挂网精度高的图片，那么，该图片不但不会变得更精美，反而会变得一团黑(惨不忍睹)。所以，输出前必须先了解是什么类型的印刷品、何种印刷用纸，再决定挂网的精度。

表 1-1 即为印刷出版物的挂网频率参数。总之，印刷出版物的纸张质量越差，挂网精度就要越低，反之亦然。

表 1-1　印刷出版物挂网精度推荐

印刷出版物类型	挂网频率参数
精美艺术书刊、高档广告及宣传册	150lpi~300lpi
普通书籍、广告及宣传册	133lpi~150lpi
普通杂志、产品说明书	100lpi~150lpi
报纸	60lpi~100lpi

·位分分辨率:位分分辨率又称位深,是用来衡量每个像素存储信息的位数,该分辨率决定图像中每个像素存放的颜色信息。例如:一个 24 位的 RGB 图像,表示该图像的原色 R、G、B 各用了 8 位,三者共用了 24 位。

1.4.3 色彩的认识

点阵图的色彩模式可以根据色彩的多少和成色方式的不同分为点阵图模式、灰度模式 i 索引色模式、双色调模式、RGB 模式、CMYK 模式、L,ab 模式和多重通道模式等。

1.点阵图模式

点阵图模式只有黑和白两种色值,当转换为点阵图模式时,用黑白像素不同密度的分布来描绘图像,形成网点状的灰阶图像效果。

2.灰度模式

灰度模式与点阵图模式的图像构成了精彩的黑白世界,不同的是灰度模式是连续调的高品质的黑白图像,在计算机中由 0～256 个灰阶组成,没有彩色图像中的色相和饱和度信息,但保留了原图的明亮度效果。另外,只有灰阶图像才能直接转换为点阵图模式。

3.双色调模式

双色调模式可以使用单色调、双色调、三色调及四色调来描绘灰阶图像的色彩,但不论您使用几种色彩,双色调模式的图像仍旧只有单一通道。图片在转换为双色调模式之前,必须先转换为灰度模式,才能够激活双色调功能。

4.索引色模式

索引色模式的图像最多能使用 256 种色彩来描绘图像,它可以在有限地维持视觉品质的同时,缩减图像的大小。通常索引色模式的图像被应用在多媒体或网络中。

5.RGB 模式

RGB 分别代表光的三原色 Red(红)、Green(绿)、Blue(蓝)。人们以各种不同的比例混合红、绿、蓝三种基本的色光,就可以得到可见光谱中绝大部分的颜色。

两种色光相混合可以得到第三种色光;等量的:RGB 色光相混合可以得到不同层次的灰色;将所有的色光相混合可以产生白色;而当红、绿、蓝都为 0 时即为黑色。由于各种色光混合后的结果比原来的单独色光亮,所以我们将这种成色方法称为加色混色法(如图 1-6 所示)。

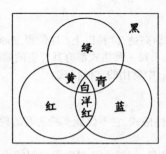

图 1-6

6.CMYK 模式

CMYK 是依据印刷在承印物上的油墨的吸收性产生颜色的,当白光照射到半透明的油墨上时,光谱中的一定比例的光被吸收,未被吸收的光反射回来,进入人眼,从而形成颜色感觉。CMYK 分别表示 Cyan(青)、Magenta(洋红)、Yellow(黄)、Black(黑)。若将四色油墨中的两种或两种以上的颜色相叠加,叠加的颜色种类越多,叠加的次数越多,所得到的颜色就会越来越暗,所以我们称 CMYK 模式的成色方法为减色混色法(如图 1-7 所示)。为了避免和蓝色(Blue)的英文首写字母相混淆,所以将黑色(Black)用(K)来表示。

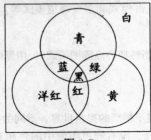

图 1-7

名师点拨:

当制作的图像主要是用于印刷时,为了能够让图像应用更多的命令或滤镜特效,建议在制作时先将图像颜色模式设置为 RGB,,当制作完成后,再转换为 CMYK 模式。

7.Lab 模式

Lab 模式是由明度(L, Luminance)和两个彩度所组成的。在 Lab 模式下,明度 L 的范围从 0~100 表示亮度上的强弱变化,彩度 a 为红到深绿的颜色,b 为蓝到黄的颜色,两者的变化范围均为一 i27~q-128 之间,表示不同颜色的变化。另外,Lab 模式不受设备(例如,显示器、扫描仪、印刷输出等)的限制,而能够得到一致的色彩效果。

8.多通道模式

图像文件在多通道模式下可以拥有多个 256 阶灰色通道,此模式主要针对特殊的印刷用途,可以输出在除掉某些颜色通道后或分别叠加某些颜色通道后的色彩效果。

1.4.4 图像格式

Photoshop 所支持的文件格式很多(高达 20 种以上),这使得 Photoshop 的图像能够置入到不同的软件中,甚至在不同的操作平台上使用。、每一种格式都有其特定的编码方式,运用在不同的场合,发挥各自的优势。下面我们来看看 Photoshop 中常用的文件格式。

1.Photoshop(*.PSD、*.PDD)

此种格式是 Photoshop 专用的文件格式,它不仅能支持所有的模式,还可以将图层、辅助线、格点和 Alpha 通道等属性资料一起保存。

PSD 格式在保存时会自动压缩文件,以减小其对磁盘空间的占用,但该格式所包含的图像数据信息较多(例如,图层、通道……),因此文件比其他格式文件要大得多,不过由于 PSD 文件保留了原图像的所有数据信息,因此修改起来最为方便。

2.TIFF(*.TIF)

tIFF 格式一般应用于不同平台、不同应用软件上,在图像打印规格上受到广泛支持。在保存时可以选择不同的压缩运算方式，，并且可以保存图像中的图层属性。

3.BMP(*.BMP、*.RLE)

BMP 是 Windows 画图程序的文件格式，此格式兼容大多数的 Windows 和 OS/2 平台的应用程序。以 BMP 格式保存时，是使 RLE 正压缩格式，它不但可以节省保存空间，而且不会破坏图像的任何细节，但保存和打开的速度较慢。

4.Photoshop EPS(*.EPS)

EPS 格式是广为矢量图像软件所接受的文件格式。如果需要将图像置入 CorelDraw、Adobe Illustrator 等软件中，您就可以将图像保存为 EPS 格式。如果您的图像是点阵图模式，在保存为 EPS 格式时，可以将白色像素设定为透明。

5.PDF(*.PDF)

PDF(。Po*rtable Document Format——便携式文档)是 Adobe 公司开发的目前全球最为流行的电子文件格式。PDF 格式与其操作系统无关，也就是说，不管是在'Windows、UNIX 还是苹果公司的 Mac OS 操作系统中，PDF 文件都能毫发无损地被打开、编辑，如图 1-8 所示。

PDF 文件使用工业标准的压缩算法，通常比 PostScript 文件还小，易于传输与存储，可直接进行菲林输出。现在，越来越多的电子图书、产品说明、公司文告、网络资料、电子邮件开始使用 PDF 文件格式。PDF 格式也越来越成为出版界的流行格式。

图 1-8

6.JPEG(*.JPEG)

JPEG 格式是一种压缩率很高的保存格式。它可以支持 CMYK、RGB、灰阶等色彩模式，能容纳 1667 万种颜色。JPEG 格式所使用的压缩方式是一种有损压缩，如果压缩率过大，图像的细节便会丢失，从而导致图像的品质降低。

名师点拨：

当 Photoshop 每次打开一幅 JPEG 图像并再次存储该文件时，都会再次对该文件进行压缩，图像的质量也会因此降低。因此，不要频繁地对 JPEG 图像编辑，解决的方法是当完成 JPEG 图像的编辑后，最好另存为或存储为副本。

7.GIF(*.GIF)

GIF 格式只能保存最多 256 色的 RGB 色彩阶数,其文件较小,适合应用于网络上图片的传输。GIF 格式还可以支持透明背景和动画格式。在保存 GIF 格式时,必须先把图像模式转换为点阵图模式、灰度模式或索引色模式。

名师点拨:

GIF 格式和 JPEG 格式是目前网络图片使用最普遍的图像格式,并能够被大多数浏览器支持。

8.PNG(*.PNG)

除 JPEG 和 GIF 格式外,PNG 格式也可以在网页上应用。与 JPEG 相比,PNG 也能够容纳 1667 万种颜色,不过它的压缩不像 JPEG 那样会损失颜色数据。但令人遗憾的是,目前 PNG 格式虽然能够得到: Intemet Explorer 和 Netscape Navigato!'这两大主流浏览器的支持,但这种支持并不完全,PNG 格式还不能发挥出它的全部功能,但前途一定是光明的。

本章主要介绍了 Photoshop CS3 的新增功能、安装、启动、退出和图像的格式、色彩的模式等平面设计基础知识。其中图像的格式和色彩模式对于今后从事平面设计工作的人员来讲十分重要,因此这些都是影响印刷出版最终效果的重要因素。

一、选择题

(1)既支持 Alpha 通道,专色通道和图层,同时又是 Photoshop 程序默认的图像格式是 _____。
A.BMP　　B.TIF　　C.PSD、PDD　　D.JPEG
(2)在计算机中,图像可以分为 _____ 和 _____ 两种。
A.位图图像　　B.形状路径　　C.矢量图像　　D.选区
(3)Photoshop CS3 新增的一个选择工具是 _____。
A.磁性套索工具　　B.快速选择工具
C.单列选框工具　　D.直接选择工具
(4)表示位图图像高度和宽度的像素数量的专业名称是 _____。
A.像素大小　　B.色彩模式
C.图像大小　　D.分辨率

二、判断题

请根据本章所述内容来判断下列句子哪些是正确的叙述。
(1)Photoshop 是由美国微软公司所开发的。(　　)
(2)美国 Adobe 公司于 2006 年 12 月发布了 Photoshop 的最新版本 CS 3.0。(　　)
(3)根据成色的原理,我们把 RGB 模式称之为加色成色法,而把 CMYK 模式称之为减色成色法。(　　)

第2章　Photoshop CS3 操作入门

本章导读：

要利用 Photoshop CS3 进行艺术创作，必须先要掌握 Photoshop CS3 的入门操作。只有掌握好入门操作，才能更好地学习和掌握 Photoshop CS3 的其他功能。

本章主要介绍了 Photoshop CS3 的界面、文件操作，以及视图控制等内容。

技能提要：

熟悉 Photoshop CS3 的操作界面。

全面掌握 Photoshop CS3 文件管理等操作。

掌握还原、前进、后退和历史记录调板等还原功能。

了解视图控制和辅助工具的应用。

2.1　Photoshop CS3 界面

当 Photoshop CS3 启动画面结束后，就进入了 Photoshop CS3 的操作界面。PhotoshopCS3 不但拥有众多的用户和强大的功能，而且还有直观、灵活的操作界面。

2.1.1　工具及属性界面

1.操作窗口

除了有与 Windows 其他应用程序相同的一些窗口界面外，Photoshop CS3 操作窗口主要由菜单栏、工具栏、图像窗口(工作区)、工具箱、控制调板、状态栏等组成，如图 2-1 所示。

图 2-1

2.菜单栏

Photoshop CS3 将各项功能收集在 10 个菜单内,菜单中除了各种命令外,还可能有位于下一层次的子菜单。如果命令为浅灰色,则表示该命令目前处于不能选择状态。如果命令右侧有一个(▶)标记,表示该命令下还包含 1 个子菜单。如果命令后有(…)标记,则表示选择该命令可以打开对话框。如果命令右侧有字母组合,则表示该命令的键盘组合键。使用键盘组合键将有助于提高您的工作效率,如图 2-2 所示。

另外,通过浏览 Photoshop CS3 的"帮助"菜单,可以让用户了解各种工具、命令的操作方法。"帮助"菜单对 Photoshop 的各种概念、术语做出了最新、最权威的解释。

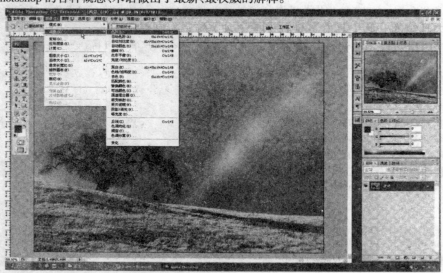

图 2-2

3.工具栏

工具栏位于菜单栏的下方,当用户在工具栏中选取了某个工具时,工具栏中就会显示出相应的属性和控制参数,并且外观上也会随着工具的改变而变化(如图 2-3 所示)。利用工具栏可以快速设置所选取工具的各选项。

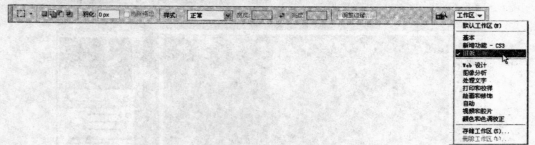

图 2-3

工具栏最右侧为一个用于快速切换到所需设计环境的"工作区"按钮,例如,选择"工作区"下拉菜单中"旧版"命令,则可让 Photoshop CS3 的操作界面变为以往 Photoshop 版本的模样。选择"文字处理"命令,则 Photoshop CS3 的操作界面仅会显示出与文字处理相关的字符、段落和颜色等调板。

若想要隐藏或显示工具栏,选择【窗口—选项】命令即可。双击工具栏最左侧的┃或┃按钮,即可折叠或展开工具栏。用鼠标按住┃或┃按钮,则可拖动工具栏。

4.工具箱

在默认状态下,Photoshop CS3 的工具箱为单列显示,如果单击工具箱上的 ▶▶ 按钮,即可让工具箱变为双列显示。工具箱就好像是一个用以盛装常用工具的大箱子。用鼠标在工具箱中的工具上单击,该工具就会显示出凹陷的被选取状态,用户就可以在图像窗口中使用该工具进行操作了。

如果工具箱的一些工具右下角有一个(▲)标记,则表示在该工具下包含了一个工具组,用鼠标按住该标记不放或用鼠标右击该工具即可弹出工具组(如图 2-4 所示)。若在工具按钮上停留片刻,则会显示出相应的提示信息。提示信息括号里的字母表示该工具的组合键 (如图 2-5 所示)。例如按键盘上的 Z 键,即可快速选取放大工具 🔍 。

图 2-4

图 2-5

名师点拨:

工具箱与其他浮动调板一样,也可以随意在窗口中移动、摆放。用鼠标左键按住工具箱上的蓝色标签,即可将其随意拖动至窗口任何位置。

5.图像窗口

在 Photosh 叩 CS3 中每一张被打开的图像都有自己的图像编辑窗口。除了 Windows 的基本窗口功能外,Photoshop 图像窗口的标题栏中还会显示图像的相关信息,例如,文件名称、图像显示比例、图像色彩模式、目前所在图层等,如图 2-6 所示。

图 2-6

6.状态栏

Photoshop CS3 的状态栏在图像窗口的最下方，它可以显示当前图像的信息和当前操作的提示信息。状态栏的左侧显示了图像的显示比例；右侧显示当前操作的提示信息。单击状态栏上的(▶)标记，可以弹出"显示"清单，勾选"显示"下拉列表框中的目标项后，该项即可在状态栏中显示出来，如图 2.7 所示。

图 2-7

以下为"状态栏"各项的简要说明。

·Version Cue(文本提示)：可提供全面的，可视化的以及对文本文件和项目所有方面的几种命令，包括在文件内的文本目录、关键字或者字体之类的文件信息来定位项目文件。

·文档大小：选取该项时，在状态栏上即可有"文档"字样，它显示的是所编辑图像的文件大小。其左边的数值表示该文件在不合任何图层和通道的数据情况下的大小；右边的数值则是包括所有图层和通道路径的文件大小。

·文档配置文件：显示当前所编辑图像为何种模式，如 RGB 颜色、CMYK 颜色、Lab 颜色等。

·文档尺寸：显示当前所编辑图像的长宽尺寸。

·暂存盘大小：显示当前所编辑图像的挂网情况与可用的内存大小，其中左侧的数值表示在 Photoshop 中打开文件所需的内存数，这个数值是累计的，其会随着打开文件的数量的增加而增加。右侧的数值则表示目前 Photoshop 使用的内存总数。如果第 1 个数值小于第 2 个数值，表示 Photoshop 目前的内存数足够使用；如果第 1 个数值大于第 2 个数值，则表示内存不够使用，此时 Photoshop 会把硬盘当做虚拟内存，使操作速度变慢。

·效率：显示当前编辑图像的使用的存取内存时间与使用硬盘上的虚拟内存时间的比值。如果该比值越来越小，就表示应该多配置一点内存给 Photoshop，您可以关掉几张暂时不处理的图像，或关闭其他的应用程序；如果还是不能解决问题，那就只有添购内存了。

·计时：显示用户刚才最后一个完成操作所花费的时间。该项数值是以累计方式计算的，如果要将操作时间重设为 0，只要按住键盘上的【Alt】键并重新选取此项即可。

·当前工具：显示当前正在使用的工具名称。

·32 位曝光：显示 32 位图像。

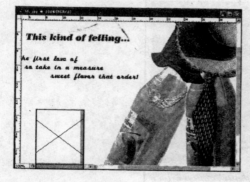

图 2-8

图 2-9

如果单击状态栏左侧,则弹出打印预览窗口,该窗口将显示图像尺寸和打印纸尺寸的关系。其中两条对角线的矩形区域表示图像区域,灰色图像窗口内为打印纸张的大小(如图 2-8 所示)。如果按住【Ait】键再单击状态栏左侧,则会弹出显示图像宽度、高度、通道数目、分辨率等信息列表框(如图 2-9 所示)。

2.1.2　调板界面

调板是 Photoshop 中极重要的一个组成部分,利用调板几乎可以完成 Photoshop CS3 所有的操作。在默认状态下,调板总以组的方式堆栈在一起的,并排列在 PhotoshoD CS3 窗口右侧。所有的调板均浮于图像的上方,而不会被图像所覆盖,因此调板也被称做浮动调板。

1.分离和组合调板

为了便于操作,Photoshop CS3 的浮动式调板除了可以堆栈在一起外,还可以根据用户的需要,将调板分离或任意地组合。

·分离调板:在调板的标签上单击并拖动到窗口中, 即可将该调板从组合调板中分离出来 (如图 2-10 所示)。

图 2-10

·组合调板:用鼠标在调板的标签上单击并拖动到另一调板上,当调板上出现黑色的粗方框时,松开鼠标即可以将该调板组合到另一调板中(如图 2-11 所示)。

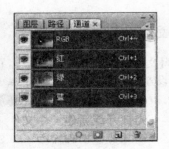

图 2-11

另外单击调板右上角的▶按钮,还可以打开"调板"菜单,通过菜单中的命令,可以对图像作进一步的设定和处理。选项工具栏会根据当前使用的工具或操作的对象来显示相关的信息和可以使用的功能。

2.显示和隐藏调板

如果用户需要使用的调板没有出现在桌面上,可以在"窗口"菜单中勾选该调板即可激活该调板;反之,则隐藏该调板。有时为了便于编辑图像,按【Tab】键,即可暂时隐藏桌面上的所有调板,包括选项工具栏和工具栏,若再按一次【Tab】键,又可以恢复原状。按下组合键【Shift+Tab】,可以关闭所有的调板,但不包括选项工具栏和工具栏,再按一次,又会恢复原状(如图 2-12 所示)。

图 2-12

3.调整调板

单击调板上的最小化按钮 ，或者双击调板标签，即可收合或展开调板，以便使调板在不用时腾出更多的空间。将光标放置在调板的边框上，当光标变为 状或 状时，拖动调板即可调整调板的大小。

2.2 文件操作

当启动 Photoshop CS3 后，其操作窗口中并没有任何图像文件，因此要在 Photoshop CS3 中工作，就必须先打开或新建一个文件。用户可以将编辑的图像存储起来，以便下一次继续操作，或应用到其他应用程序中。

2.2.1 新建文件

01 选择【文件→新建】命令(组合键【Ctrl+N】)▶▶在打开的"新建"对话框中
用户可以设置图像的名称、尺寸、分辨率、色彩模式、图像背景，如图 2-13 所示。

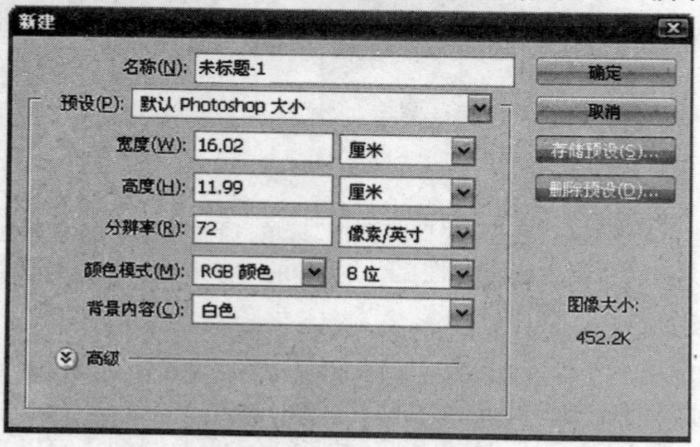

图 2-13

以下为"新建"对话框各选项的简要说明。

·名称：输入新建的文档名称，如果没有输入，则程序将使用默认的文件名，如无标题–1、无标题–2、无标题–3…，以此类推。

·预设：从其下拉列表框中可选择各种规格的图像尺寸(例如，美国标准纸张、国际标准纸张、照片等)。另外，用户也可以直接在宽度和高度数值框中输入所需的图像宽度和高度值。

·宽度和高度：分别设置图像文件的宽度和高度，可在文本框内输入值。可以单击下拉按钮在弹出的下拉列表中设置度量单位，例如像素、厘米、英寸、磅、派卡和列，其中厘米(cm)是中国人最常采用的度量单位。

·分辨率：设置图像文件所需的分辨率。在 Photoshop 中，分辨率最常用的单位是像素／英寸或者像素／厘米。

·颜色模式：在其下拉列表框中可选择图像的颜色模式，通常提供的图像颜色模式有位图、灰度、RGB 颜色、CMYK 颜色及 Lab 颜色 5 种。

·背景内容：背景内容也称做背景，也就是画布的颜色，通常选择白色。

02 单击"确定"按钮，即可新建一个图像文档。如果在"新建"对话框中设定背景内容为透明，那么新建的图像则没有背景色。

排解疑难：

问：Phtoshop 的文件大小都是由什么因素所决定的？大文件有什么好处，又有什么坏处？

答：文档大小与图像的像素大小成正比。图像中包含的像素越多，显示的图像细节也就越丰富，不过所需要的磁盘空间也会越多，而且编辑和打印的速度也会变得更慢。影响文件大小的另一个因素是格式。由于 GIF、JPGE 和 PNG 文件格式使用的压缩方法各不相同。因此，即使像素大小相同，不同格式的文件大小差异也会很大。

2.2.2 打开文件

如果用户想对先前的 Photoshop CS3 文件进行重新编辑，或者使用 Photoshop CS3 打开某一图片进行处理，则需要用"打开"命令。在文件菜单下有 3 个与打开文件有关的命令。

1. 打开文件

选择【文件—打开】命令(组合键【Ctrl+O】)：或者双击 Photoshop CS3 操作窗口中的灰色区域，即可弹出"打开"窗口(如图 2–14 所示)▶▶在该窗口中选取目标图像，单击"打开"按钮，即可打开该文件▶▶如果想要打开多个文件，按住 Shift 或 Alt 键，选取所需的目标图像后，单击"打开"按钮即可。

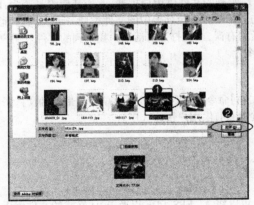

图 2-14

以下为"打开"窗口小图标与各选项的简要说明。

· 回到上一个文件夹 ⊙：单击该按钮图标可以跳转到已访问的上一个文件夹。

· 向上一级 ⊅：单击该按钮图标可以指向上一级。

· 创建新文件夹 ⊡：单击该按钮图标可创建一个新文件夹，可以直接输入所需的名称对该新建文件夹进行命名。

· 查看菜单 ⊞▾：单击该按钮图标可以从下拉菜单中选择查看的方式。

· 偏好按钮 ⊠：单击此按钮图标可从下拉菜单中将所选的文件(夹)添加或移出到收藏夹。

· 查找范围：选取目标图像所在的具体磁盘路径。

· 文件名：显示所选取文件的文件名。由于所显示的图片太多，可直接输入目标文件名，来快速打开该文件。

· 文件类型：可以指定需要打开文件的具体格式。如果选取"所有格式"，则显示文件夹中的所有图像。

2.打开为

选择【文件→打开为】命令(组合键【Alt+Shift+Ctrl+O】)，或者按住【Alt】键并双击窗口灰色区域，均可以打开"打开为"窗口，如图 2-15 所示。

图 2-15

在"打开为"窗口中会出现所有的文件供用户挑选，无论其后缀是否为：Photoshop 所支持的文件格式，不过所要打开的文件要与"打开为"下拉列表中的文件类型一致，否则不能打开该文件。"打开为"命令，可以帮助用户查找文件后缀有误，或在打开对话框中找不到的文件。用户也可以在"打开为"对话框中指定要以何种格式来打开图片。

3.最近打开文件

选择【文件—最近打开文件】命令，可以打开其子菜单。在最近的文件子菜单中列出了用户最近打开过的文件(默认设置为 10 个文件)，供用户快速选用。

2.2.3 转入图像文件

1.置入图像

选择【文件→置入】命令，可以将 AI、EPS、PDF 以及 PDD 格式的文件置入到当前正处理的图像图层上。

2.导入和导出图像

导入是从外部输入图像,包括从数码相机、扫描仪、视频设备等设备中导入图像到 Photoshop 中。导出常用的主要有 2 个命令。ZoomViem 和路径到 Illustrator。ZoomViem 是一种通过 Web 提供高分辨率图像的格式。利用 Viewpoint Media Player,用户可以放大或缩小图像,并全景扫描图像以查看它的不同部分(详细使用可参考"帮助"文件)。而非常有用的"路径到 Illustrator"则可以将 Photoshop 中创建的路径以 AI 格式导出,用户可用 CorelDraw 或 Illustrator 程序进行再编辑。

排解疑难:

问:Photoshop 的"置入"与"导入"命令有什么共同点,又有什么区别?

答:"置入"命令本质上也属于"导入"命令的范畴,所不同的是"导入"命令主要是通过扫描仪、数码相机等输入设备来输入实实在在的物体或诸如纸张上的图像;而"置入"命令则是直接从 Windows 窗口中导入电子文档。

2.2.4 关闭文件

仅关闭 Photoshop CS3 窗口中的图像文件,但不退出 Photoshop CS3 程序,可以通过以下 3 种方法来实现:

(1)直接单击 PhotoshopCS3 图像窗口上的"关闭"按钮 ⊠。

(2)在 Photoshop CS3 程序窗口中,选择【文件→关闭】命令(组合键【Ctrl+w】)。

(3)单击图像窗口左上角的 Ps 图标 ,在弹出的下拉菜单中选择"关闭,,命令(组合键【Ctrl+F4】),即可关闭图像文件。

2.3 还原、前进和后退

与其他应用程序一样,Photoshop CS3 也提供了撤销与恢复功能来还原用户的错误操作, 不过 Photoshop CS3 提供的还原方式更多、更灵活、更强大。通过还原、前进、后退、历史记录画笔工具和历史记录调板,绝大多数的操作都可以还原。

2.3.1 还原

当我们在 Photoshop CS3 程序中选择了一步错误的操作或者命令,如果此时选择【编辑→还原】命令(组合键【Ctrl+z】),即可让 Photoshop CS3 还原到没有出错的上一状态。不过"还原"命令仅能还原一步,当错误的操作已经选择了多步时,则无法再通过"还原"命令让 Photoshop CS3 恢复到正确的状态。

2.3.2 后退一步

当我们在 Photoshop CS3 程序中选择了多步的错误操作,如果选择【编辑→后退→步】命令(组合键【Alt+CtrlI+z】),即可让 Photoshop CS3 后退一步。如果连续按下组合键【Alt+Ctrl+z】,则可令 Photoshop CS3 一步步地后退,可一直后退到没有出错的状态。

2.3.3 前进一步

当多次选择【编辑一后退一步】命令,让 Photoshop CS3 后退了多步,如果多次选择【编辑一前进一步】命令(组合键【Shift+Ctrl+z】),则又可让 Photoshop CS3 一步步地前进,可一直前进到所需的操作状态。

2.3.4 恢复

选择【文件→恢复】命令(或按【F12】键),即可将用户最后一次存盘后的所有操作还原,将图像恢复到最后一次存盘时的状态。

2.4　历史记录调板

尽管通过还原、前进和后退等命令可以让 Photoshop CS3 还原到某一状态,但却是一步步地逐步还原,显得过于麻烦,并且不是所有的步骤都能够还原。

而利用历史记录调板不仅可一步就还原到所需的状态,而且 Photoshop CS3 每一个操作动作都有清晰的名称,以便让用户一目了然。另外,我们还可以通过对重点步骤创建快照的方式,以防止出现因操作步骤过多而无法还原的尴尬情况。

2.4.1　历史记录调板简介

历史记录调板可以记录前面 20 步的操作步骤,单击历史记录调板中所需的还原步骤、拖动指针或者选择调板菜单中的后退一步、前进一步即可让 Photoshop CS3 还原到所需的状态,当然也可以再次让 Photoshop CS3 重新恢复到先前的状态(如图 2-16 所示)。

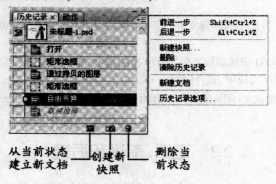

图 2-16

以下即为历史记录调板下方的 3 个功能按钮的简要说明。

· 从当前状态建立新文档:单击该按钮,则以当前步骤状态建立一个新图像文档。

· 创建新快照:单击该按钮,则以当前步骤状态建立一个新快照。

· 删除当前状态:单击该按钮,则删除当前步骤。

2.4.2　取消历史记录

选择历史记录调板弹出菜单中的"清除历史记录"命令,可以将所有步骤记录清除。

2.4.3　删除历史记录

使用历史记录调板弹出菜单中的删除命令,可以将当前步骤记录和其后面的步骤记录删除。用鼠标拖动步骤记录到历史记录调板右下角的删除按钮"　"上,可以不影响其他步骤记录和当前图像效果,将拖动的步骤记录删除。

2.4.4　创建新快照

如果记不清楚前面的哪一个步骤才是所需要还原的记录,或者选择了很多操作后,却觉得不如前面的某一个效果好,而此时已经无法再通过历史记录调板来还原,这时 Photoshop CS3 还允许用户将操作过程中比较满意的效果拍成快照临时保存在历史记录调板中。用户所拍的快照和步骤记录一样,只是临时保存在历史记录调板中,当文件关闭时,步骤记录和快照都将全部清除。

选择历史记录调板菜单中的新建快照命令,则打开"新建快照"对话框(如图2-17所示)。通过该对话框可设定快照的名称和拍快照的原图像。

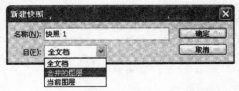

图 2-17

以下为"新建快照"中"自"下拉列表框各选项的简要说明。

·全文档:选择该项,将以全文档方式为当前效果拍快照,并在快照中保留图层。

·合并的图层:选择该项,将当前效果拍快照,并合并图层。

·当前图层:选择该项,只将当前图层中的图像拍成快照保留。

名师点拨:

在默认状态下,当用户打开文档时,Photoshop会自动为文档建立一个快照,单击该快照,可以还原到打开时的状态。直接单击历史记录调板下方的"新建快照"按钮,将以全文档为原图像拍快照。

2.5 视图控制

为了更精确地编辑图像,Photoshop CS3为用户提供了多种缩放图像、移动图像显示区域等视图控制工具和命令。

2.5.1 放大

1.利用缩放工具放大图像

选取缩放工具 🔍 (或按【Z】键),在目标图像中沿对角线框绘制一个矩形区域,即可以50%、66.7%、100%……的比例显示放大该区域图像,同时将激活如图2-18所示的"缩放"工具栏。

图 2-18

以下为"缩放工具"工具栏各项的简要说明。

·调整窗口大小以满屏显示:选中该复选框,则在缩放图像时,图像的窗口也将随着图像的缩放而自动缩放。

·忽略调板:选中该复选框,可以忽略桌面上的调板,而使显示的图像窗口延伸到调板后面。

·缩放所有窗口:选中该复选框,则在缩放某一图像的同时,其他窗口中的图像也会跟着自动缩放。

·实际像素:单击该按钮,可以让图像以实际像素大小(100%)显示。

·适合屏幕:单击该按钮,可以依据工作窗口的大小自动选择合适的缩放比例显示图像。

·打印尺寸:单击该按钮,可以让图像以实际的打印尺寸来显示,但这个大小只能作为参考,真实的打印尺寸还是要打印出来才会准确。

2.利用组合键放大图像

除了选择【视图→放大】命令外,还可直接按下组合键【Ctrl+】放大图像。对于3D鼠标,则可按住

【Alt】键,再往前滚动鼠标滚轮即可放大图像。

3.利用导航器放大图像

向右拖动导航器调板下方的缩放滑块,或单击放大按钮即可放大图像。另外,用户也可以直接在左下角的缩放比例数值框中输入显示比例来放大图像。向左拖动缩放滑块,或单击缩小按钮则可缩小视图。。导航器预览框中的红色方框,表示窗口中显示的图像区域。移动该红色方框,即可改变图像在窗口中的显示区域,如图 2-19 所示。

缩放显　　　　缩小　缩放　放大
示比例　　　　　　　滑块

图 2-19

2.5.2　缩小

1.利用缩放工具缩小图像

选取缩放工具🔍,按住【Alt】键,缩放工具🔍则临时将切换到缩小工具🔍,在图像上单击鼠标即可缩小图像。

2.利用组合键缩小图像

直接按下组合键【Ctrl+-】即可缩小图像,对于 3D 鼠标,则可以按住【Alt】键,再往后滚动鼠标滚轮即可缩小图像。

3.利用导航器缩小图像

向左拖动导航器调板下方的滑块, 即可再缩小图像。用户同样可以在左下角的文字框中输入显示比例来缩小图像。

2.5.3　按屏幕大小缩放

选择【视图→按屏幕大小缩放】命令,或者单击缩放工具栏上的"适合屏幕"按钮,即可让图像根据当前工作窗口的大小自动选择适合的缩放比例显示图像。另外,双击工具栏中的抓手工具✋,同样可让图像按屏幕的大小缩放。

2.5.4　实际像素

选择【视图→实际像素】命令,即可让当前图像以实际的像素即 100% 在窗口中显示。另外,用户也可以单击缩放工具栏中的"实际像素"按钮,或者双击工具栏中的缩放工具,来让图像以实际像素显示。

2.5.5　屏幕模式

为了更好地编辑图像,Photoshop CS3 为用户提供了 4 种不同的屏幕显示模式:标准屏幕模式、最大化屏幕模式、带有菜单栏的全屏模式和全屏模式。

选择【视图→屏幕模式】菜单下的子命令,或者选择工具栏下的"更改屏幕显示方式"中的各功能按钮,即可设置屏幕的显示模式。另外,连续按下【F】键,则可在这 4 种屏幕模式间反复切换。

1.标准屏幕模式

在该模式下,窗口内能够显示 Photoshop CS3 的所有项目,例如工具栏、菜单栏、标题栏、浮动调板及滚动条等,如图 2-20 所示。

图 2-20

2.最大化屏幕模式

在该模式下,不仅最大化地显示了当前图像,而且 Photoshop CS3 的所有项目,例如工具栏、菜单栏、标题栏、浮动调板及滚动条都将显示,如图 2-21 所示。

图 2-21

3.带有菜单栏的全屏模式

在该模式下,Photoshop CS3 窗口仅显示工具栏、菜单栏、浮动调板,而不显示滚动条和标题栏,如图 2-22 所示。

图 2-22

4.全屏模式

在全屏模式下,窗口仅显示工具栏、工具箱和浮动调板,而不显示菜单栏、滚动条和标题栏(如图2-23所示)。因此,用户在该屏幕显示模式下最能全面查看图像的效果。

图 2-23

2.6　辅助工具及设置

利用辅助工具不会更改图像的性质,这也是辅助工具与其他工具之间的最大区别。例如,利用"抓手"工具仅是移动图像在窗口中的显示位置,并没有改变图像的大小和像素。

2.6.1　抓手工具

当图像窗口不能显示全图像时,利用抓手工具 🖐 可以改变图像在窗口中的显示区域,以针对需要修改的局部进行编辑。选择抓手工具后,将鼠标在图像窗口中单击并拖动,就可以改变图像在窗口中的显示区域,如图2-24所示。

图 2-24

2.6.2 标尺

选择【视图→显示标尺】命令(组合键【Ctrl+R】),可显示标尺;若再次选择该命令,又可隐藏标尺。水平标尺和垂直标尺相交的点被称为原点,默认状态下,标尺的零点也要在该原点上。如果用鼠标拖动该点,可改变标尺的零点位置。如果双击标尺上的原点,又、可以使标尺零点恢复到系统默认状态。

2.6.3 参考线

参考线需要用户自己来添加。当标尺在图像窗口中显示时,在标尺上按住鼠标左键不松,直接拖动到图像上即可。若要精确添加参考线,则选择【视图→新参考线】命令,在打开的"新建参考线"对话框中即可精确设置水平或垂直参考线的取向和位置,如图 2-25 所示。

图 2-25

而选择【视图→显示→参考线】命令,则参考线将在图像窗口隐藏,再次选择该命令,参考线又将在图像窗口中显示。参考线添加后,可以用移动工具 进行移动。选择【视图→锁定参考线】命令后,可以将参考线锁定,不允许被移动;再次选择该命令,可以解除参考线的锁定。选择【视图→清除参考线】命令,则可以将所有的参考线清除。

2.6.4 网格

选择【视图→显示】命令(组合键【Ctrl+'】)▶▶打开"显示"子菜单▶▶勾选子菜单下的"网格"命令,网格即可显示在图像上(如图 2-26 所示);若再次选择该命令,取消勾选,则网格将在图像窗口中隐藏。

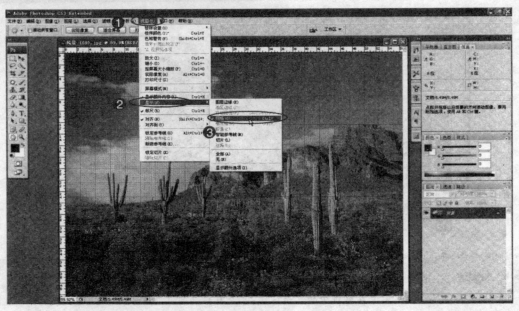

图 2-26

2.6.5　常用参数设置

在 Photoshop CS3 的【编辑→首选项】命令子菜单中包含了一系列的预置命令,通过这些命令可对 Photoshop CS3 进行预置设定,使 Photoshop CS3 更好地发挥其强大的功能。以下为 Photoshop CS3 辅助工具的常用参数的设置。

1.单位与标尺

选择【编辑→首选项→单位与标尺】命令,即可打开"单位与标尺"设置框(如图 2-27 所示)。在该设置框中可以设置 Photoshop CS3 的测量与计量单位,也就是确定:PhotoshopCS3 的计量、测量以何种单位显示。

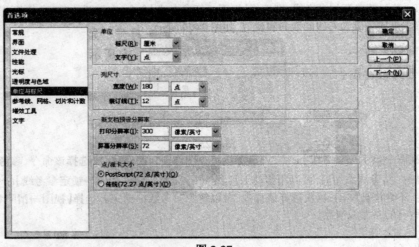

图 2-27

以下为单位与标尺设置框各选项的简要说明。

·单位:在此栏中可以设置标尺和文字的单位。分别从标尺或文字下拉列表框中选择。通常,我们将标尺的单位设置为"厘米",这比较符合中国人的习惯。Photoshop 在默认状态下,文字均以国际上通用的单位"点",也称为"磅"来显示字号,而没有提供国内常用的"号"单位。

·列尺寸:在此栏中可以设置"裁切和图像大小"所用的列宽和用于"裁切和图像大小"的装订线宽度。如果需要精确定义图像尺寸时,就需要在"宽度"和"装订线"中输入所需的数值,以用于打印装订。

·新文档预设分辨率:在此栏中可为新文档设置预设的打印分辨率和屏幕分辨率。

·点派卡大小:在此栏中选择以 PostScdpt(72dpi/in)为标准还是以传统(72.27dpi/in)为标准。传统的点比 P6stScript 点略小。

2.参考线、网格、切片和计数

选择【编辑→首选项→参考线、网格、切片和计数】命令,即可打开"首选项"对话框(如图 2-28 所示)。参考线、网格和切片都是为了精确定位页面元素而设立的,它们通常和标尺配合使用。在其参数设置框中,可以设定参考线、网格的颜色和线型。

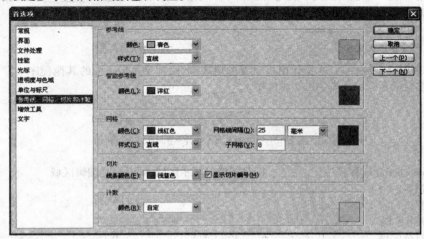

图 2-28

以下为参考线、网格、切片和计数设置框各选项的简要说明。

·参考线:在该选项中可以设置参考线的"颜色"和"样式"。

·智能参考线:与参考线一样可以设置智能参考线"颜色"。

·网格:在该选项中可以设置网格的"颜色"、"样式",以及""网格线间隔"的距离和"子网格"的个数。

·切片:在该选项中可以选择"线条颜色"、"显示切片的编号"。

·计数:在该选项中可以选择计数的颜色。

本章主要介绍了 Photoshop CS3 的操作界面,新建、打开和关闭文件,文件的还原与恢复,历史记录调板,视图控制,以及辅助工具的设置等内容。这些内容虽说简单,但是如果熟练掌握这些知识,就会使我们在 Photoshop CS3 中的工作效率大大提高。

一、填空题

(1)按下组合键 _____，可以打开"新建"对话框。

(2)按下组合键 _____，可执行"恢复"命令。

(3)Photoshop CS3 的状态栏位于操作窗口的 _____，其作用就是显示当前编辑图像状态的信息。

(4)当图像在窗口中被放大到不能完全显示时，可以按下空格键，切换到 _____ 工具来改变该图像的显示区域。

二、选择题

(1)菜单栏是:Photoshop CS3 操作窗口重要的组成部分,同 Windows 中的其他程序一样,Photoshop CS3 将绝大多数的命令以分类的形式放置在 _____ 菜单中。

A.12 个

B.10 个

C.9 个

D.11 个

(2)在 Photoshop CS3 程序中, _____ 即是图像的显示区域,同时也是编辑区域。

A.图像窗口

B.程序窗口

c.窗口灰色区域

D.窗口白色区域

(3)在 Photoshop CS3 程序中,要想同时隐藏工具栏和浮动调板,按下组合键 _____ 即可;如果仅想隐藏浮动调板,则按下组合键 _____ 即可。

A.Tab、Ctrl+Tab

B.Tab、Stlift+Tab

C.Ctrl+Tab、TIab

D.Tab、Alt+Tab

(4)按下组合键 _____,即可在图像窗口中显示水平和垂直标尺栏。

A.Ctrl+T

B.Ctrl+R

C.Ctrl+F

D.ctrl+E

第3章　创建选区

本章导读：

　　创建选区是我们利用 Photoshop CS3 进行艺术创作的前奏。没有了选区的帮助,不仅 Photoshop 的功能会大打折扣,而且任何绝妙的创意都难以实现。

　　本章主要介绍了选区的绘制、选区的编辑、储存与载入和选区的填充等内容。

技能提要：

　　了解绘制规则选区的工具。

　　认识绘制不规则选区的工具。

　　掌握选区的编辑。

　　了解前景色、背景色和拾色器。

　　掌握选区的填充。

3.1　规则选区

　　利用 Photoshop CS3 提供的多种选框工具,可以绘制出矩形、正方形、椭圆、正圆和 1 像素宽的单行或单列的规则选区。

3.1.1　矩形选框工具

　　矩形选框工具是 Photoshop CS3 中最基本、最常用的创建选区工具。利用矩形选框工、具,可以绘制出矩形和正方形的规则选区。

1.绘制矩形选区

　　选取工具栏中的矩形工具▶▶在 Photoshop CS3 页面中单击鼠标左键▶▶然后沿对角线方向拖动鼠标,这时一个矩形选区就绘制出来了。矩形选区效果如图 3-1 所示。

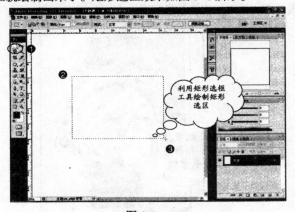

图 3-1

2.绘制正方形选区

选取工具栏中的矩形工具▶▶按住【Shift】键▶▶然后在页面中单击鼠标左键▶▶沿对角线方向拖动鼠标,即可绘制出一个正方形选区。另外,在按住【Shift】键的同时,按住【Alt】键,则以鼠标单击点为中心,绘制选区向四周扩展。

3.1.2 椭圆选框工具

利用椭圆选框工具可以绘制椭圆或正圆形的选区,其操作步骤与矩形选框工具相同,且工具栏也与矩形选框工具类似。

1.绘制椭圆和正圆选区

选取工具栏中的椭圆工具▶▶在 Photoshop CS3 页面中单击鼠标左键▶▶然后沿对象线方向拖动鼠标,即可绘制出一个椭圆选区;按住【Shift】键▶▶然后在页面中拖动鼠标,即可绘制出一个正圆选区。

2.利用参考线巧妙地绘制正圆或椭圆选区

如果某一图像的背景较为复杂,且该图像的轮廓又呈椭圆形或正圆形,虽说可以直接用套索工具或钢笔工具来绘制该图像的轮廓选区,但都不是最佳的方案。而仅需要借助一条水平和垂直参考线的帮助,我们就可以很容易地绘制出该图像的轮廓选区。下面我们就可以利用此方法来巧妙绘制出如图3-2所示的"手表"图像轮廓选区。

图 3-2

01 首先选取缩放工具,将该手表图像放大到适当程度▶▶然后用鼠标从水平和垂直标尺栏上各拖动出一条参考线与手表轮廓相切▶▶相切效果如图3-3所示。

从标尺栏中拖动出水平和垂直相切参考线

图 3-3

02 再选取椭圆选框工具▶▶鼠标在水平和垂直参考线相交点上单击▶▶按住【Shift】键▶▶鼠标向右下角的对角线方向拖动▶▶当正圆选区线落在手表的正圆轮廓上时,松开鼠标,即可精确绘制一个与手表轮廓大小相同的正圆选区。该正圆选区也正好落在手表的轮廓上。选区绘制效果如图 3-4 所示。

03 选择【选择→反向】命令,反向选取选区▶▶然后再选择【编辑→清除】命令,即可用系统默认的背景色(白色)填充该选区,填充效果如图 3-5 所示。

图 3-4

图 3-5

3.1.3 选框工具栏

当我们选取了矩形选框、椭圆选框、单行和单列选框工具时,即可激活该工具在 Photoshop CS3 窗口中的工具栏(如图 3-6 所示)。通过工具栏可以创建新选区、将选区添加到已有的选区中、从选区中减去所绘制的选区和交叉等 4 种(新选区、添加到选区、从选区减去、与选区交叉)制作选区的方式。

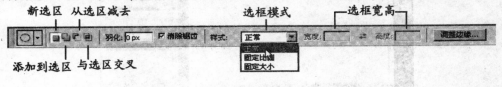

图 3-6

以下即为选框工具栏各项的简要说明。

·新选区:新选区是每一种选框工具的默认状态。按下该按钮,如果已经存在选区,则用新绘制的选区替换旧的选区。

·添加到选区:按下该按钮,除了创建新选区外,还可以和旧选区合并为一个选区。

·从选区减去:按下该按钮,除了创建新选区外,还将挖去与旧选区的重叠选区。

·与选区交叉:按下该按钮,除了创建新选区外,还会仅保留与旧选区的重叠选区(即相交的区域)。如果绘制的新选区与旧选区没有任何重叠,则将弹出一个警告提示框。

·羽化:在该数值框中输入数值,可以设置选取范围的羽化范围。其羽化数值为 0~250 像素之间,数值越大,则绘制的选区边缘就越平滑。利用羽化功能,可以对选区范围内的边缘部分产生出渐变柔和的朦胧效果以及软化硬边缘效果。图 3-7 所示即为羽化为:"0 像素"后的选区效果,而图 3-8 所示则为羽化为:"50 像素"后的选区效果。

·消除锯齿:当选取了套索或魔棒工具后才能激活该项。勾选该项后,在填充选区或删除选区内的图像时,所得到的图像边缘就会较为平滑。

·正常:Photoshop cs3 的默认方式,通过直接在图像上拖动,可以制作任意矩形选区。

·固定长宽比:可在其右边"宽度"和"高度"文本框中输入数值来设定矩形和椭圆选区的长宽值,即在拖动制作矩形选区时限制长宽比例。

Photoshop 创意与设计一本通

·固定大小：选取该项后，无论怎样拖动鼠标，在页面中得到的选区永远是宽度和高度数值框中所输入的尺寸，即始终为一个固定了大小的矩形或椭圆选区。

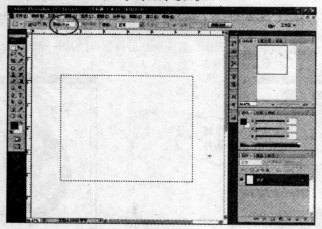

图 3-7

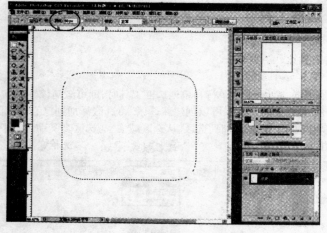

图 3-8

·调整边缘：单击该按钮，则会弹出"调整边缘"对话框。通过该对话框我们可以全面对已有选区的半径、对比度、平滑、羽化和收缩扩展等项的设置。如果将鼠标放置到该对话框的某一选项上，在该对话框最上方则会出现该功能的简单说明(如图 3-9 所示)。在该对话框中设置好半径、羽化、平滑度等选项后，单击对话框下方的相应快捷功能图标，或直接按下【F】键或【X】键，则可快速预览到快速蒙版、黑底、白底和蒙版等视图效果(图 3-10 所示)。

图 3-9

图 3-10

3.1.4　单行选框工具

选取单行选框工具,在窗口页面中点击,即可得到 1 个像素选区;按下工具选区栏中的"填加到选区"按钮,在页面中连续点击,则可以绘制出多条 1 像素的水平选区。下面将用单行选框对图 3-11 所示的图像添加一组水平单行选区。然后进行白色描边。

01　选择【视图→显示→网格】命令,在图像上显示出网格线▶▶选取章行选框工具,并按下工具栏上的"添加到选区"按钮▶▶鼠标在网络线上连续单击,绘制出一组间距相等的 1 像素选区。选区效果如图 3-12 所示。

图 3-11　　　　　　　　　　　　　图 3-12

02　再选取【编辑—描边】命令▶▶在打开的"描边"对话框中设置"宽度"值为"8 像素",设置"颜色"为"白色"▶▶单击"确定"按钮,即可得到如图 3-13 所示的百叶窗效果。

图 3-13　　　　　　　　　　　　　图 3-14

3.1.5　单列选框工具

单列选框工具可以绘制宽度为 1 像素的单列选区,其工具栏与单行选框工具完全相同。下面我们将仍然利用网格,在图 3-14 所示的图像中绘制出网格选区,最后进行描边。

01　选取缩放工具,将人物图像缩放到适当大小▶▶选择【视图→显示→网格】命令 (组合键【Ctrl+'】),显示出网格▶▶选取单行选框工具,按下工具栏中的"添加到选区"按钮,以网格为参考绘制出一组水平选区▶▶以相同的操作方法,利用单列选框工具在图像中绘制出一组垂直选区,绘制效果如图 3-15 所示。

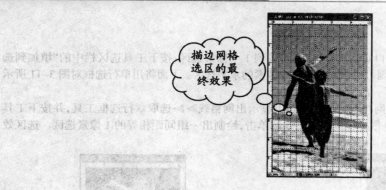

图 3-15

02 选择【选择→变换选区】命令▶▶在工具栏中按下"保持长宽比"按钮▶▶在数值框中输入"200"%▶▶在"旋转"数值框中输入"45"度数值，即可放大并对网格选区进行45.旋转▶▶按下组合键【Ctfl+'】,隐藏网格,效果如图3-16所示。

03 选择【选择→描边】命令▶▶在打开的"描边"对话框中设置"宽度"为"1 像素",设置"颜色"为"白色"▶▶单击"确定"按钮,即可得到如图3-17所示的白色菱形网格。

图 3-16

图 3-17

3.2 不规则选区

除了矩形、椭圆、单行和单列等选框工具外,Photoshop CS3 还提供了一组绘制不规则选区的套索和魔棒工具。其中套索包括:套索、多边形套索和磁性套索等3种工具,而魔棒则有:快速选择和魔棒2种工具。

3.2.1 套索工具

选择套索工具,在图像上按住鼠标左键沿图像的轮廓边缘拖动,当终点与起点重合时,一个大概的图像轮廓选区就绘制完成了。

如果起点与终点没有重合,松开鼠标左键,则起点与终点之间将自动用直线连接,从而得到一个封闭的选区。如果在绘制过程中按住【Alt】键,则可以绘制出一条直线段。连续用鼠标在页面中单击,则可绘制出连续的直线段。松开【Alt】键后,选区即可自动闭合。

现场臻关:
打开"手提包"图像,然后用套索工具绘制出手提包的轮廓选区。

3.2.2 多边形套索工具

多边形套索工具可以绘制出轮廓平直的多边形选区。选取多边形套索工具,在目标图像轮廓上单击确定起点,然后再在下一处目标点上,即可绘制出一条直线段,重复此操作,则绘制出多条直线段,当光标靠近起点时,光标则会变为🔲,此时单击鼠标左键,可以将选区的起点和终点结合起来,形成封闭的选区。

3.2.3 磁性套索工具

磁性套索工具根据图像色阶的对比来区分图像,然后自动黏合在图像边缘绘制成选区。因此磁性套索工具非常适合用来选取色彩对比强烈,图像轮廓不太复杂的选区。

1.了解工具栏

磁性套索工具栏与选框工具的工具栏基本上相同,通过该工具栏可以对绘制选区进行更详细的设置(如图3-18所示)。

图3-18

·羽化:设置选取范围的羽化程序。

·消除锯齿:勾选该项,可消除图像选区边缘的锯齿现象。

·宽度:在其文本框中可输入1~50之间的像素数值,数值越大,探查范围就越大。

·边对比度:在其文本框中可输入1%~100%之间的数值,用采设置套索的敏感度。数值大可用来探查对比度高的边缘,数值小可用来探查对比度低的边缘。

·频率:在其文本框中可输入1~100之间的数值,用来设置以什么频率设置紧固点,数值越大,选取外框紧固点的速度越快——较高的数值会更快地固定选区边框。

2.绘制选区

下面我们将用磁性套索工具绘制图3-19中的"酒瓶"轮廓选区。

图3-19

图3-20

___01___ 选取磁性套索工具,在酒瓶轮廓上单击▶▶然后沿酒瓶轮廓移动鼠标,即可绘制出酒瓶轮廓选区。

___02___ 按下键盘上的【Delete】键,恢复系统默认的前景色和背景色设置▶▶选择【选择→反向】命令,反向选择选区▶▶选择【编辑→清除】命令,或按下组合键【Alt+Delete】,即可以系统默认背景色(白色)填充选区,选区填充效果如图3-20所示。

3.2.4 魔棒工具

利用魔棒工具在图像区域上轻轻一点,即可以依据图像的色相、饱和度智能地创建出一个选区范围,而无需跟踪轮廓。

1.魔棒工具栏

选取魔棒工具后,即可激活其工具栏,在该工具栏中,我们可根据目标图像的具体情况来设置所需参数(如图 3-21 所示)。

图 3-21

· 容差:其像素值为 0~255。像素数值越大所选择的色彩范围就越大。例如,0 表示只能选择一个色调值,默认的 32 可以选择连续 32 级的色调,而 255 则可以选择图像中所有的色调。

· 消除锯齿:勾选该项,即可使选取的选区消除锯齿,更加平滑。

· 连续的:勾选该项,只能在图像中选取色彩相近的连续区域,反之则可选择图像上所有的色彩相近的区域。

· 对所有图层取样:勾选该项,可以在所有可见图层上选择相近的颜色。反之,则只能在当前可见图层上选取颜色。

2.利用魔棒工具选取选区

很多时候,用魔棒工具选取目标选区,不一定能够直接完成。有时若能利用"反向"命令反向选区,即可得到所需的选区。例如,如果直接用魔棒工具选取图 3-22 所示的"人物"轮廓选区肯定会非常困难,但是如果结合"反向"命令却能轻易得到所需的选区。

01 选取魔棒工具,并按下工具栏中的"添加到选区"按钮,连续选取"人物"外围的白色区域。

02 选择【选择→反向】命令(组合键【Shift+Ctrl+I】),即可选取人物轮廓选区,选区效果如图 3-23 所示。

图 3-22

图 3-23

3.2.5 快速选择工具

Photoshop CS3 新增了一个功能比魔棒工具更为强大、灵知的快速选择工具。利用快速选择工具,我们甚至只需用鼠标在图像上涂抹,所涂抹的区域即可被选取。

1.快速选择工具栏

快速选择工具栏同样由新选区、添加到选区、与选区交叉等设置项组成。利用快速选择工具创建绘制的选区为圆形,在其画笔设置框中可以设置画笔的直径、硬度、间距、角度和圆度等项,如图 3-24 所示。

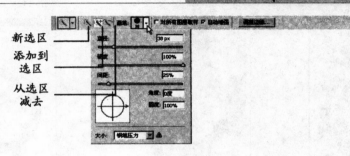

图 3-24

2.绘制选区

下面我们将利用快速选择工具绘制图 3-25 中的橙子轮廓选区。选取快速选择工具,按下工具栏中的"加到选区"按钮,并设置画笔的直径和硬度值。用快速选择工具在橙子图像上反复进行涂抹,即可得到一个连续的图像选区,选区效果如图 3-26 所示。

图 3-25

图 3-26

3.3 选区编辑

很多时候,仅仅通过一二种工具是不能绘制出符合要求选区的,这时如果对选区运用布尔运算(添加到选区、从选区减去和与选区交叉),就可以将其编辑成所需的形状。

3.3.1 添加到选区

利用"添加到选区"功能,可将创建的新选区与旧选区组合为一个新的选区,即新旧选区的相交部分相互融合,构成一个新的选区。下面我们就利用椭圆选框工具、多边形套索工具,并通过"添加到选区"的布尔运算,绘制出图 3-27 中手表选区。

01 首先用椭圆选框工具,并结合水平、垂直参考线绘制出手表的正圆选区▶▶选取多边形套索工具▶▶按下工具栏中的"添加到选区"按钮▶▶然后在手表的其他部位上绘制,即可绘制出手表的全部轮廓选区,如图 3-28 所示。

02 选择【选择→反向】命令,反向选择选区▶▶按下组合键【Clrl 十 Delete】,以系统默认的背景色(白色)填充选区,填充效果如图 3-29 所示。

·从选区减去:利用"从选区减去"功能,可以将新选区与旧的选区重叠的区域减去,而仅保留减去后的旧选区区域。

·与选区交叉:与选区交叉就是将新选区与旧选区相交,两个选区相交的区域为新的选区。

图 3-27

图 3-28

图 3-29

3.3.2 存储和载入选区

花了很多时间创建的选区,会因一时的疏忽而消失。为了保住我们的劳动成果,最好将选区存储到通道中,即使关闭了电脑,该选区也毫发无损。并且多个存储的选区之间还可以通过添加到通道、从通道减去和与通道交叉等功能,将相互独立的单一选区组合成新选区。当需要该选区时,只需将其重新载入页面中即可。

1.存储选区

下面我们将利用快速选择工具,并结合"添加到通道"功能快速绘制出图 3.-30 中的小男孩轮廓选区。

01 选取快速选择工具▶▶在小男孩手里的白色头巾图像上进行涂抹,选取头巾选区(如图 3-31)▶▶如果选取了不需要的选区,按下【Alt】键,在多余的选区上涂抹,即可消除该选区

02 选择【选择→存储选区】命令▶▶在打开的"存储选区"对话框"名称"文本框中输入"小男孩"(如图 3-32)▶▶单击"确定"按钮,即可将白色头巾选区存储到通道中。

图 3-30

图 3-31

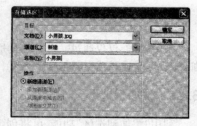
图 3-32

以下为"存储选区"对话框的简要说明。

·文档:在下拉列表框中选择要存储的选区文件(目标文件),默认情况下,选区放在当前图像中的通道内,可以选择将选区存储到其他打开的并且具有相同像素尺寸的图像通道中,或存储到新图像中。

·通道:设定保存选区的通道。默认建立一个新通道保存选区,也可以选择一个已经存在的通道来保存选区,或者存储到图层蒙版中(图像包含图层)。

·名称:输入新通道的名称。

·添加到通道:选取该项,则将当前选区添加到另一通道中。

·从通道中减去:选取该项,则将当前选区从另一通道中减去。

·与通道交叉:选取该项,则会得到一个当前选区与通道选区相交叉的通道选区。

03 再以相同的方法,选取小男孩轮廓选区(如图 3-33 所示)▶▶▶选择【选择一存储选区】命令,在打开的"存储选区"对话框"通道"下拉列表框中选择"小男孩"项▶▶▶然后,在操作选项中选取"添加到通道"单选按钮,如图 3-34 所示▶▶▶单击"确定"按钮,即可将小男孩选区添加到白色头巾选区中。

 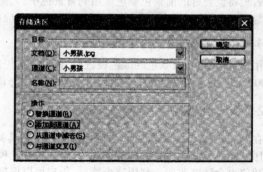

图 3-33   图 3-34

2.载入选区

存储选区以后,不管当前图像上有没有该选区,只要通过选择【选择→载入选区】命令,就可以将存储的选区重新载入到图像中来。例如,要将创建好的小男孩选区载入到图像中,选择【选择→载入选区】命令,打开"载入选区"对话框▶▶▶在该对话框"通道"下拉列表中选择"小男孩"命令。单击"确定"按钮,即可载入一个完整的小男孩选区。

3.3.3 取消选区

对目标选区选择编辑命令后,就需要取消该选区,否则以后选择的任何命令,都仅作用于当前选区内的图像。当利用选框工具和套索工具绘制好选区后,只需用鼠标在选区外单击,或者在选区中双击,即可取消该选区(条件必须是按下了工具栏中的"添加到选区"的按钮)。而当选取了其他的编辑工具时(例如,魔棒、钢笔工具),在选区外单击,则不能取消该选区。这时我们可以选择【选择→取消选择】命令(组合键【Ctrl+D】),来取消选区。

3.4 选区填充

绘制好的选区,只有对其填充,才能让其充满色彩,美丽起来。选区的填充主要可以通过前景色、背景色、油漆桶和画笔。

3.4.1 前景色与背景色

前景色与背景色是 Photoshop 中最基本的要素之一,是进行图像编辑处理不可缺少的一个功能。单击工具栏下方的前景色或背景色按钮,在弹出的"拾色器"对话框中选取颜色,选取好的颜色则显示在这两个颜色按钮中。

1.前景色

Photoshop 使用前景色绘画、填充和描边选区,即当前使用工具的颜色。单击前景色按钮打开"拾色器"对话框,从中选取所需颜色。比如,这时使用画笔、铅笔或文字工具在图像中所绘图像或文字的颜色就是前景色。

2.背景色

Photoshop 使用背景色进行渐变填充和填充图像中被擦除的区域,即当前编辑图像的底色。选取背景色后,并不会立即改变图像的背景色,只有在使用与背景色有关的工具时才会依照背景色的设置来

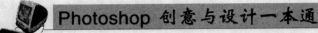

选择命令。比如使用橡皮擦工具擦除图像时,擦除前景色后就会露出背景色。

3.切换前景色与背景色

若想将设置好的前景色颜色应用到背景色中,无需再到背景色中去重新设置,只需要单击"切换前景色与背景色"按钮(快捷键【X】),即可将前景色颜色应用到背景色中,反之亦然。

4.默认前景色与背景色

用户对前景色、背景色的颜色设置后,根据需要想重新恢复到系统默认的前景色与背景色的颜色,即 100%的黑色与白色,这时可以单击"默认前景色与背景色"按钮(快捷键【D】)来恢复。

3.4.2 认识拾色器

在 Photoshop CS3 中选取、设置颜色最常用的工具就是"拾色器"对话框。通过该对话框可以在 4 种最常用的颜色模式中设置颜色数值,并且这 4 种颜色模式是等价的,即改变一种颜色的数值,其他 3 种颜色数值也会随之改变。利用这个特点,用户可以根据需要选取最适合的颜色模式来输入数值,例如,如果希望增加亮度,可以在 HSB 组中增加 B 的数值;如果希望增加红色时,则可以在 RGB 组里增加 R 的数值。

1.拾色器结构

"拾色器"对话框中包含了 Photoshop CS3 最常用的 4 种颜色模式:RGB、CMYK、HSB 和 Lab。用户可以通过"拾色器"对话框对任何一种颜色模式进行设置。"拾色器"对话框主要由颜色区域、颜色条、当前与前一次选取颜色、颜色模式数值框等构成,如图 3-35 所示。

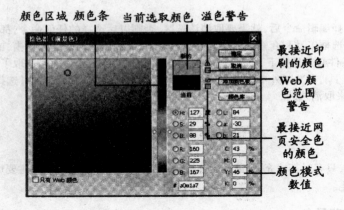

图 3-35

以下为"拾色器"对话框各项的简要说明。

·颜色区域:在颜色条中显示的色彩是在某种颜色模式下,一个单独颜色通道中的颜色分布,而该颜色模式下的另两个颜色通道的色彩分布则通过颜色区域窗口显示出来。在颜色区域窗口中,横轴代表其中的一个通道,竖轴代表另一个通道。

·颜色条:颜色条上显示的颜色取决于所选定的颜色模式。在"拾色器"对话框中有 3 种颜色模式,即 HSB、RGB 和 Lab。它们提供了颜色成分的单选按钮,如果按下其中一个,在颜色条上则显示出所对应的这种颜色成分的分布,拖动颜色条上的滑块就可以进行相应的颜色选取。

·颜色模式数值框:在"拾色器"对话框右侧的颜色数值框中,用户可以通过输入颜色数值精确地选取某一颜色模式下的某一颜色。

·溢色警告:在 RGB、HSB、Lab 模式下的许多颜色(比如黄色、绿色等)是不能被打印出来的,因为它们没有 CMYK 颜色模式的等量值。如果选取了这些不可打印的颜色,"拾色器"对话框中就会出现一个内含惊叹号的警告三角形,警告所选颜色已超越打印机识别的颜色范围,打印机无法将其准确打印出来。三角的下方列出了与之最接近的 CMYK 颜色,一般要比我们所选的颜色暗一些。

·Web 颜色范围警告:有时溢色警告按钮下还会出现一个立方体按钮——Web 颜色范围警告,它表示所选颜色已超出 Web 颜色所使用的范围,在该按钮下方也有一个小方块,其中显示与 Web 颜色最接近的颜色。单击 Web 颜色范围警告按钮,即可将当前所选颜色换成与之相对应的颜色。

·添加到色板:单击该按钮,即可将自定义的颜色保存到色板中(如图 3-36 所示),输入色板名称后,即可在色板调板中看到所保存的颜色(如图 3-37 所示)。

图 3-36

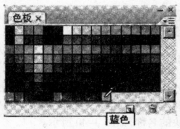

图 3-37

·颜色库:单击"颜色库"按钮,则切换到"颜色库"对话框。在该对话框中列出了一系列国际著名的印刷油墨生产厂家所提供的油墨色谱中的标准颜色(如图 3-38 所示)。这些颜色主要用于印刷中的校色,用户可以根据不同的纸张和不同厂家的油墨来选择色彩,以获得满意的印刷色彩效果。

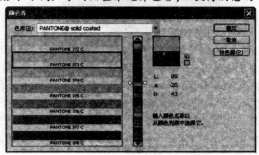

图 3-38

2.利用拾色器选取颜色

通过"拾色器"对话框选取前景色与背景色颜色的操作步骤如下:

01 单击工具栏下方的前景色或背景色按钮，激活"拾色器"对话框▶▶Photoshop 的"拾色器"对话框右侧列出了 4 种颜色模式的 9 个单选按钮,即 HSB、RGB、Lab 颜色模式的三原色按钮。用鼠标单击一种方式。例如,选中 R 单选按钮,此时滑块用来控制亮度。

02 移动鼠标到对话框左侧的"颜色区域"窗口中单击,即可选取 H 和 s 颜色值。同时用户可以通过移动颜色条上的滑块配合颜色区域,选择出成千上万种颜色。

03 选取、设置完成后▶▶单击"确定"按钮,即可完成颜色的选取。

3.4.3 认识颜色调板

颜色调板显示当前前景色和背景色的颜色模式。使用颜色调板中的滑块,可以通过几种不同的颜色模式来编辑前景色和背景色,也可以单击颜色调板下用来显示某种色彩模式的色谱条来选取。

01 单击颜色调板中的前景颜色或背景颜色按钮,以确定是选取前景颜色还是背景颜色,如图 3-39 所示。

前景颜
色按钮

背景颜
色按钮

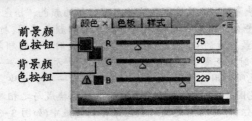

图 3-39

02 在颜色调板中拖动颜色滑块,或者直接在滑块右侧的数值框中输入数值,调整后的颜色即为要选取的颜色。

3.4.4 认识色板调板

Photoshop cs3 还为用户提供了另一种快速选取前景色或背景色的工具—色板调板。在色板调板中各种颜色以矩形颜色块排列,并且这些颜色都是预设好的,将光标在颜色块上停留几秒,即可显示出该颜色块的名称,如图 3-40 所示。

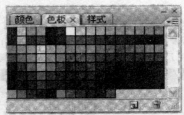

图 3-40

在颜色块上单击,即可将其选取为前景色。自定义前景色后,直接单击色板调板上的"创建前景色新色板"按钮,即可将当前前景色添加到色板调板中,而将光标移到色板调板下方的灰色空格上。光标呈 状时,同样也可将当前前景色增添到色板调板中。而将自定义颜色块直接拖动到调板底部的"删除色板"按钮 上,又可将其删除。所以色板调板常常用来保存颜色和校准色彩。

3.4.5 吸管工具

吸管工具用于从图像上选取颜色,并将所选颜色替换成前景色或背景色。一般,如果对所设计的作品颜色要求不是太高时,例如 web 图像,就可以用吸管工具来选取。选取吸管工具时将鼠标指针移到图像上单击所需的颜色,这样就完成了前景色的取色工作。如果此时按住【Alt】键,再用吸管工具单击图像颜色,则选择背景色。另外,也可以用吸管工具直接到颜色或色板调板中选取颜色。

名师点拨:

当用户在使用其他绘图工具时(例如,画笔、铅笔、油漆桶),如果想临时切换到吸管工具来吸取前景色,按下【Alt】键即可。

3.4.6 填充选区

利用"填充"命令可让空洞的选区变得色彩斑斓。我们可以通过前景色、背景色和图案来填充选区。

1.了解填充对话框

"填充"命令与"填充路径"方法相同。选择【编辑→填充】命令,打开"填充"对话框(如图 3-41 所示)。通过该对话框可以以前景色、背景色,自定颜色或图案填充选区。

图 3-41

以下为"填充"对话框中各项的简要说明。

·内容：该选项组用于设置填充所使用的方式,包含有 8 种方式——"前景色"、"背景色"、"颜色"、"图案"、"历史记录"、"黑色"、"50%灰色"、"白色"等,用于填充所指定的颜色选区。"图案"则用指定的图案填充选区,而"历史记录"用于指定所选区域恢复到图像的某个状态或快照状态。

·混合：该选项组用于设置所填充颜色的透明度、色彩模式以及保留透明区域填充。

·不透明度：该选项用于设置所填充颜色的透明程度。设置范围为 1%到 100%的整数。当输入为100%时,填充的颜色为完全不透明。

·模式：单击该选项,可打开下拉列表框,从中可以选择填充的色彩模式。默认情况下为"正常"选项。

·保留透明区域：该选项仅当图像中具有图层时才可以使用。勾选该项后,可以限定只在图层中的已包含像素的那些区域上进行绘画和编辑。

2.以前景色或背景色填充选区

要想以前景色"填充选区,可直接按组合键【Alt+Delete】；要想以"背景色"填充选区,则按组合键【Ctrl+Delete】。无论当前前景色、背景色的颜色为何种颜色,直要按下【Delete】键,即可将其恢复到系统默认的前景色和背景色,即黑色和白色；而按下【X】键,则可切换前景色与背景色。

3.以图案填充选区

下面我们将利用填充对话框来对图 3-42 中的瓶子进行图案填充。

_01_ 首先用快速选择工具,绘制出瓶子的上下两截不含商标的选区▶▶然后,在选区中单击鼠标右键,在弹出的快捷菜单中选择"填充"命令,如图 3-43 所示。

图 3-42

图 3-43

_02_ 在"填充"对话框"内容"下拉列表框中选择"图案"项▶▶在"自定图案"下拉列表框中选择"石头"项▶▶设置"不透明度"数值为 50%,如图 3-44 所示。

03 单击"确定"按钮,即可对瓶子选区进行石头图案的填充。填充效果如图 3-45 所示。另外,如果我们再结合图层、图层混合模式等功能的帮助,定能够得到更加逼真的效果。

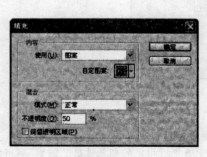

图 3-44

图 3-45

3.5　选区的变换

通常利用常规的方法创建复杂选区最为省时,但很多时候离要求也最远。对于这些还没有达标的选区,就需要对选区重新进行修改、变换,以达到最终的要求。为此,Photoshop CS3 又提供了多种变换、修改选区的方法。

3.5.1　修改选区

在 Photoshop 中选区的范围是经常要修改的。在【选择→修改】命令下包含了一组修改选区范围的命令。通过这些命令可以快速将不符合要求的选区修改完成。

1.边界

选择【选择→修改→边界】命令,在打开的"边界选区"对话框中输入 1 ~ 200 像素的边框宽度值,即可以当前选区(如图 3-46 所示)为中心产生特定宽度的边框,如图 3-47 所示。如果需要精细地进行边界选区,则可以输入较小的边界值。

图 3-46

图 3-47

2.平滑

利用"平滑"命令即可将选区修整得较为平整。"平滑"命令可以使选区范围中尖锐或突出的地方变得平滑,一般用于选区范围的细部调节。创建好选区后,选择【选择→修改→平滑】命令,在激活的"平滑选区"对话框中设置取样半径值,单击"确定"按钮即可得到平滑选区效果。

3.扩展和收缩

扩展和收缩命令可以使选区范围向外扩展或向内收缩到一定的程度。选择【选择→修改→扩展(收缩)】命令,在弹出的"扩展选区"或"收缩选区"对话框中设置扩展量或收缩量,单击"确定"按钮即可得到扩展或收缩选区的效果。

3.5.2　选取相似和扩大选取

"选取相似"和"扩大选取"创建选区的原理与魔棒工具相同。"选取相似"和"扩大选取"命令有2个相同的属性:一是它们一开始都需要有一个选区范围;二是它们都必须借助魔棒工具栏中的"容差"项来设置范围选区的颜色容差。

1.选取相似

"选取相似"命令能够选取图像中非连续的色彩近似的像素,与魔棒工具在不勾选"连续的"项的选取结果相同。

2.扩大选取

"扩大选取"命令只能够选取与所选区域像素相邻的色彩近似的像素,与魔棒工具在勾选"连续的"项结果相同。"扩大选取"只是检查同原始选区直接相连的图像区域;而"选取相似"则检查在魔棒"容差"设置范围之内的整个图像的颜色和色调。

3.5.3　选区的变换

一个符合要求的复杂选区很少能在几个步骤之内就可以完成,这些选区往往要经过多次的编辑与修改方能达到标准。为了将现有的选区变换为符合用户要求的,因而在 Photoshop 中选区的变换主要是通过变换选区选取框来完成的。

1.直接变换选区

当用户已经制作了一个选区,选择【选择→变换选区】命令,将光标放置在选取框外的边或者角控制点上,光标变为 ↕ 或 ↔ 时表示可拉伸一条边;↲ 表示可拉伸两条边;↰ 表示可旋转整个选取框。将光标放在变换框内,光标为 ▶ 时表示可以移动选取框。光标放到变换参考点 ✛ 上,当光标变为 ✛▶ 时,表示可移动该变换参考点。

2.精确变换选区

若要精确变换选区,就必须借助工具栏的帮助。选择【选择→变换选区】命令,打开选取框工具栏。直接在工具栏所需数值框中输入数值即可精确变换选区。单击参考点位置 ▦ 图标中的9个参考点可设置变换选区的具体参考点。

3.复杂变换选区

在选择了【选择→变换选区】命令后,再选择【编辑→变换】命令下的子命令,可以用"变换"命令下的子命令对选取框进行斜切、扭曲和透视等复杂的变换。

本章主要介绍了选区的绘制、选区的编辑、储存与载入和选区的填充等内容。我们在绘制一个复杂选区时，往往要根据实际情况，通过多种工具或命令之间的密切合作，以最高的效率来绘制选区。

一、理论测试

1.填空题

(1)在 Photoshop CS3 程序中共有 _____ 种可以直接创建选区的工具。

(2)使用 _____ 工具可以将选区或图层移动到另一位置或者其他图像中。

(3)反向选区，除了选择【选择▢反向】命令外，还可按下组合键来完成。

(4)在 Photoshop 程序中，按下 _____ 键，即可恢复系统默认的前景色和背景色，按下 _____ 键，则可在前景色与背景色之间相互切换。

2.选择题

(1)利用 _____ 工具可以创建颜色一致的范围选区，而不必跟踪其轮廓。
A.移动工具　　B.魔棒工具　　C.磁性套索工具　　D.快速选择工具

(2)按住 _____ 键，用矩形工具可绘制出正方形选区；按住键，则可以鼠标单击点为中心，向四周扩展绘制矩形选区。
A.Shift、Alt　　B.Ctrl、A　　C.Shift、Ctrl　　D.Shift、空格

(3)用套索工具绘制选区时，按 _____ 键，则可以绘制出一条直线段。连续用鼠标在页面中单击，则可绘制出连续的直线段。
A.Alt　　B.Ctrl　　C.Shift　　D.Enter

(4)利用 _____ 功能，可将新选区与旧的选区重叠的区域减去，而仅保留减去后的旧选区区域。
A.存储和载入选区　　B.与选区交叉　　C.从选区减去　　D.添加到选区

二、上机操作

利用椭圆选框工具、矩形选框工具和多边形套索工具，并结合"添加选区"与"与选区交叉"的功能来绘制一个高脚杯。选区效果如图 3-48 所示。

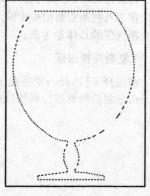

图 3-48

第4章 编辑图像

既然是图像程序，那么图像当然是 Photoshop 最终的对象。在 Photoshop 中创建选区、新建图层，还是运用通道，这些均是以图像为核心而进行的。

本章主要介绍了图像的编辑、图像和画布的大小设置、图像的变换等内容。

技能提要：

图像的基本编辑操作。
填充和描边。
定义图案。
变换图像。
翻转图像。

4.1　编辑图像

利用复制、粘贴命令，用户不仅可以在同一个文档中复制图像，还可以将图像复制到其他窗口或者其他应用程序中。

4.1.1　剪切、复制和粘贴

同所有的 Windows 程序一样，剪切、复制和粘贴命令是一组相关命令，剪切、复制命令是将选区内的图像(包括所有图层、图层蒙版和通道)复制到剪贴板中，然后用粘贴命令，将剪贴板中的图像置入到指定位置。

1.在同一文档中复制图像

用户在同一文档中复制图像时只需要对选区图像直接选择剪切、复制和粘贴命令就行了。选择完"粘贴"命令后，Photoshop CS3 将自动新建一个图层用来放置复制后的图像。具体操作步骤如下：

_01_ 首先选取图像范围选区▶▶然后选择【编辑→复制】命令(组合键【Ctrl+C】)。

_02_ 选择【编辑→粘贴】命令(组合键【Ctrl+V】)即可完成。

2.将选取图像复制到另一文档中

要将某一选区内的图像复制到另一文档中，操作步骤如下：

_01_ 首先创建所需的选区▶▶选择【编辑→复制】命令(组合键【Ctrl+C】)。

_02_ 打开或激活另一个图像文件▶▶然后再选择【编辑→粘贴】命令(组合键【CtrI+V】)▶▶即可将选区的图像复制到另一文档中。

3.直接复制到其他程序

我们也可以将被复制的图像直接复制到其他的应用程序中,例如 Word、CorelDraw、腾讯 QQ 等程序。除了对选取图像可以进行复制外,选择【图像→复制】命令,通过打开的"复制图像"对话框即可创建一个当前图像的副本。

4.1.2 合并拷贝和贴入

"合并拷贝"和"贴入"是我们今后常用的两个命令。"贴入"命令与 CorelDraw 的"置入容器"命令的功能相似。

1.合并拷贝

当图像含有多个图层时,使用"复制"命令只能复制当前图层中的选区图像,而选择【编辑→合并拷贝】命令,则可以复制选区中的所有可见图层图像。

2.贴入

"贴入"命令可以将复制的图像置入到指定的选区范围内,选区边框被转换成图层蒙版,即使移动该图也不会影响到选区之外的图像。下面我们将用"贴入"命令,将"风景 2"图像贴入"风景 1"的天空选区中,操作步骤如下:

01 首先利用 Photoshop cs3 打开"风景 1"和"风景 2"图像,如图 4-1 所示。

图 4-1

02 选取快速选择工具▶▶在"风景 1"的天空和白云图像上涂抹,创建出所需的天空选区,如图 4-2 所示。

图 4-2

03 单击工具栏中的快速蒙版按钮 ,切换到快速蒙版模式▶▶选取画笔工具,在天空选区中涂抹,对存在的瑕疵进行修补,如图 4-3 所示。

图 4-3

04 再次单击快速蒙版按钮 ◻ ,切换到标准编辑模式下。

05 最小化"风景 1",切换出"风景 2"图像▶▶选择【选择→全部】命令,全选"风景 2"图像▶▶再选择【编辑→拷贝】命令,复制选区内的图像,如图 4-4 所示。

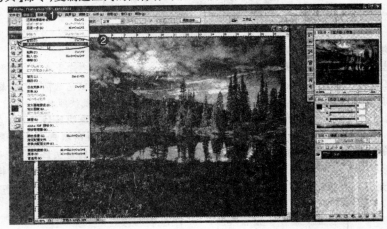

图 4-4

06 再次切换到"风景 1"图像▶▶选择【编辑→贴入】命令,即可将"风景 2"图像贴入"风景 1"天空选区中,如图 4-5 所示。

图 4-5

4.1.3 填充和描边

"填充"命令可让我们用颜色、图像和图案填充选区或图层。而"描边"命令则可以将选区范围的虚线以前景色勾画出一个封闭的线框或线条。

1.填充

01 首先在图像创建所需的选区,然后选择【编辑→填充】命令,打开"填充"对话框,如图4-6所示。

图4-6

以下即为"填充"对话框简要说明。

·内容:该选项组用于设置填充所使用的方式,包含有8种方式——"前景色"、"背景色"、"颜色"、"图案"、"历史记录"、"黑色"、"50%灰色"、"白色"等,用于填充所指定的颜色选区。"图案"则用指定的图案填充选区,而"历史记录"用于指定所选区域恢复到图像的某个状态或快照状态。

·混合:该选项组用于设置所填充颜色的透明度、色彩模式以及保留透明区域填充。其中"模式"可以选择填充的色彩模式,默认情况下为"正常"选项;"不透明度"用于设置所填充颜色的透明程度,范围为1%~100%的整数,当输入为100%时,填充的颜色为完全不透明;"保留透明区域",当有图层时才可以使用该项。勾选该项,可以限定只在图层中的已包含像素的那些区域上进行绘画和编辑。

02 在"填充"对话框中设置"内容"、"混合"、"不透明度"等选项后,单击"确定"按钮,即可填充目标选区,如图4-7所示。

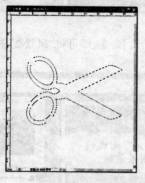

图4-7

名师点拨:

如果要以"前景色"填充选区,可直接按组合键【Alt+Delete】如果要以"背景色"填充选区,则按组合键【Ctrl+Delete】。如果按下【D】键,一则会恢复系统默认的前景色和背景色;如果按下【X】键则可相互切换前景色与背景色。

2.描边

"描边"命令用于将选区范围的虚线以前景色的颜色勾画出一个封闭的线框或线条。选择【编辑→描边】命令,即可打开如图4-8所示的"描边"对话框。

以下即为"描边"对话框,各项设置说明如下。

·描边:该选项组用于设置描边时的线条宽度。宽度数值输入范围为1~250像素。输入的数值越大,描边时的线条越粗,反之则越细。

·位置:该选项组用于指定边框是位于选区或图层边界内还是边界外,还是直接位于边界上。它包含3个选项。

·混合:该选项组用于设置所描绘边缘颜色的透明度、色彩模式以及保留透明区域。

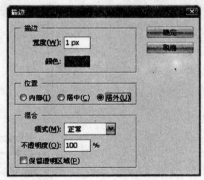

图 4-8

·不透明度:该选项用于设置所描边颜色的透明程度。设置范围为1%～100%的整数。当输入为100%时,描边的颜色为完全不透明。

·模式:单击该选项,可打开下拉列表框,从中你可以选择描边的色彩模式。默认情况下为"正常"选项。

·保留透明区域:该选项仅当图像中具有图层时才可以使用。点选该选项,可以限定只在图层中的已包含像素的那些区域上进行绘画和编辑。

在"描边"对话框中设置好各选项后,单击"确定"按钮即可描边选区,如图4-9所示。

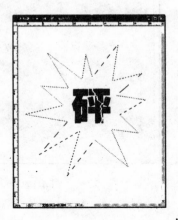 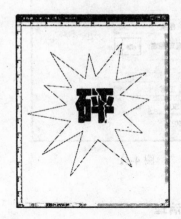

图 4-9

4.1.4 定义图案

定义图案与定义画笔的原理与操作方法相同,只不过定义图案常用于大面积区域的填充,而定义画笔则可对不规则形状的小区域填充。定义图案效果的操作步骤如下。

1.定义图案

01 打开目标文档,用选框工具在目标图像上创建选区▶▶然后选择【编辑→定义图案】命令,在打开的"图案名称"对话框中输入图案的名称,例如"花",如图4-10所示。

02 单击"确定"按钮,即可将选区内的图像定义为填充图案。

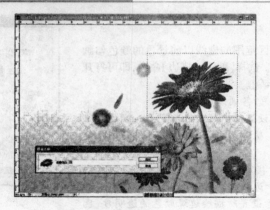

图 4-10

2.以定义图案填充

01 创建一个新文档,然后选择【编辑→填充】命令(组合键【Shift+F5】),在打开的"填充"对话框中的 "自定图案"下拉列表中选取定义的"花"图案,然后设置"模式"和"不透明度"等选项,如图 4-11 所示。

02 单击"确定"按钮,即可将所定义的"花"图案填充到新文档中,如图 4-12 所示。

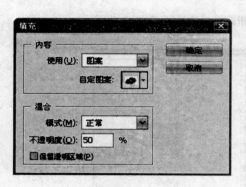

图 4-11

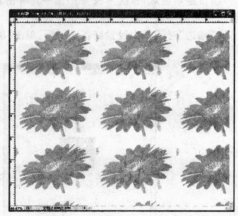

图 4-12

4.1.5 清除和清理

清除图像同移动图像一样,清除图层中的图像时,不影响背景层中的图像;清除背景层中的图像时, 图像原来所在的区域将由背景颜色替换。当用户在使用其他工具时,如果按下【Ctrl】键,就可以临时切换 到移动工具拖动图像。

1.清除图像

创建目标图像选区,选择【编辑→清除】命令,或按下【Delete】键,即可清除图像。

2.清理

在 Photoshop 程序中,连续的剪切、复制或定义图案后,程序运行速度就会越来越慢。这是由于大量 数据被保存在系统剪贴板中,占据了大量内存空间所造成的。利用 Photoshop 的"清理"命令可以清除保 留在系统内存中的数据,以恢复 Photoshop 的运行速度。选择【编辑→清理】子菜单中的某一命令,即可清 除内存中所保留的相应数据,如图 4-13 所示。

以下即为"清理"子菜单各命令的简要说明。

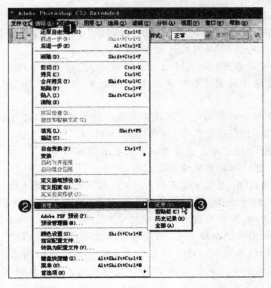

图 4-13

·还原：该命令用于从内存中删除在最后选择操作之前的图像的复制。

·剪贴板：该命令用于从内存中删除经"复制"或"剪切"命令后残留在 windows 剪贴板中的所有数据。

·图案：该命令用于从内存中删除所有被定义的图案。

·历史记录：该命令用于删除所有控制面板中存储的历史记录信息。

·全部：该命令用于清除"清理"菜单中列出的所有项目数据。

4.2 设定图像和画布的大小

Photoshop CS3 允许用户对图像的大小(包括物理尺寸和分辨率)作修改，以使图像的尺寸符合用户的需要。用户也可以对图像的版面进行修改，如旋转或修改画布大小。

4.2.1 设定图像大小

1.修改图像大小

用户在 Photoshop CS3 中编辑时，为了使图像符合用户的要求(例如，置入到其他应用程序中或打印、印刷等)，常常需要对图像的大小进行修改。图像的大小是由图像中包含的像素多少来决定的，而像素的多少又取决于图像的物理尺寸和分辨率，改变图像的物理尺寸和分辨率都会影响图像的大小。

选择【图像→图像大小】命令，通过打开的"图像大小"对话框可以重新设定图像的大小。用户可以分别设定图像的物理尺寸和分辨率，也可以直接修改图像中所包含的像素数，如图 4-14 所示。

以下为"图像大小"对话框各设置项的简要说明。

·像素大小：可以在宽度和高度的文本框中输入所需的数值来更改图像大小，也可以在其后的下拉列表框中选择

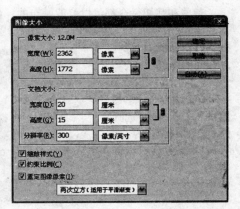

图 4-14

所需的单位。更改像素大小不仅会影响屏幕上图像的大小,还会影响图像品质和打印特性(包括打印尺寸或图像分辨率)。如果要输入当前尺寸的百分比值,请选择"百分比"作为度量单位。图像的新文件大小会出现在"图像大小"对话框的顶部,而旧文件大小在括号内显示。

· 文档大小:在此栏中可以更改打印尺寸或图像分辨率,或者同时更改二者。如果只要更改打印尺寸或只更改分辨率,并且要按比例调整图像中的像素总数,则一定要选择"重定图像像素",然后再选择所需的插值方法。

· 如果要更改打印尺寸和分辨率而又不更改图像中的像素总数,则可以取消选择"重定图像像素";如果要保持图像当前的宽高比例,则需选中"约束比例"复选框。

· 缩放比例:当重新设图像尺寸时是否让图像的长宽成比例缩放。

· 约束比例:勾选该项,可以维持图像的长宽比例。

· 重定图像像素:不勾选该项,图像中像素数被锁定,不会更改(即图像的大小不变)。当分辨率增大,图像的物理尺寸缩小;当分辨率减小,图像的物理尺寸增大;更改图像的物理尺寸,图像的分辨率随着改变。当勾选重定图像像素项,则更改图像的物理尺寸不影响图像的分辨率,但会更改图像像素总量。更改图像的分辨率也不影响图像的物理尺寸,但同样会更改图像像素总量。

· 邻近:此方法速度快但精确度低。建议对包含未消除锯齿边缘的插图使用该方法,以保留硬边缘并产生较小的文件。但是,该方法可能导致锯齿状效果,在对图像进行扭曲或缩放时在某个选区选择多次操作时,这种效果会变得非常明显。

· 两次线性:对于中等品质方法使用两次线性插值。

· 两次立方:为默认值,其速度慢但精确高,可得到最平滑的色调层次。

· 两次立方平滑:精度高,可得到最平滑的色调层次。

· 两次立方锐化:精度高,可得到最锐化的色调层次。

释疑解难:

问:对于诸如从扫描仪、网络上获取的图片,为了使图片变得更清晰,可否通过增大该图片的分辨率来达到目的?

答:虽然用户可以用图像大小命令来重新取样图像,但要注意的是,如果图像的质量不理想,通过增大分辨率来改善图像的质量是极其有限的,因为当用户获得一幅图像时,图像中的信息(图像的细节)总量就已经确定。增大图像的分辨率,虽然增加了图像像素的总量,但其取样的方式是依赖于图像本身,计算机并不能通过凭空想象来增加细节,所以用户在获取图像时,就应该取得足够多的细节。

2.裁剪和裁切图像

裁剪和裁切命令都可以修改画布的尺寸,不同的是裁剪命令需要用户先创建一个选区才能被激活,并将选取范围以外的图像剪掉;而裁切图像命令则不需要用户选取图像范围,只需以某一像素为依据,即可将图像边缘与之相同的像素切齐。

(1)用裁剪命令:创建图像选区▶▶选择【图像→裁剪】命令,即可删除选区范围以外的图像像素,如图4-15所示。

图4-15

(2)用裁剪工具:裁剪工具是一个最为灵活、可控的裁剪图像的工具,它也是笔者的最爱。裁剪工具可以直接在图像上拖动出裁剪框, 并通过拖动裁剪框上的透视控制节点来增大或缩小图像裁切范围,双击裁剪范围或按【Enter】键即可裁剪图像(如图 4-16 所示)。若按【Esc】键则取消裁剪操作。

图 4-16

(3)裁切命令:当图像中有大量的透明背景或单色色块时,利用裁切命令可直接将这些不需要的边缘去除。选择【图像→裁切】命令,即可清除图像中的透明背景或单色色块,如图 4-17 所示。

图 4-17

4.2.2 设定画布大小

通过"画布大小"对话框可以修改画布的尺寸。如果用户设定的尺寸比原图像小,则原图像被裁切;如果设定的尺寸比原图像大,原图像周围的空白区域将由背景色填充。

_01_ 选择【图像→画布大小】命令▶▶▶在打开的"画布大小"对话框中"新建大小"设置框的"宽度"和"长度"数值框中设置画布长宽值,在"画布扩展颜色"下拉列表框中选择所需项,如图 4-18 所示。

_02_ 单击"确定"按钮,图像画布即可按所设置的参数发生变化。如果设定的长宽比原图像小,则原图像被裁切;如果设定的长宽比原图像大,则原图像周围的空白区域将由背景色来填充,如图 4-19 所示。

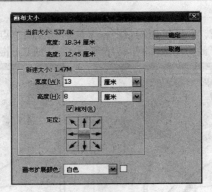

图 4-18

图 4-19

4.3　图像的变换

　　我们在处理图像时，常常需要对图像、画布进行旋转、缩放、扭曲等变换，Photoshopcs3 提供了多种变换、旋转、扭曲等变换图像的方法。

4.3.1　移动图像

　　利用移动工具 ▶⊕ 可以将位置不合适的。图像移动到指定位置。移动图像与移动选区的方法相同。移动某一图层中的图像时，不会影响其他图中的图像，如图 4-20 所示。移动背景层中的图像时，图像原来所在的区域将由背景颜色所替换。

图 4-20

4.3.2 变换图像

"变换"命令中包含了一组可以分别对所选取图像进行缩放、旋转、斜切、扭曲等操作子命令。

1.缩放图像

选择【编辑→变换→缩放】命令,当前图层中图像的四周即可出现变换框,而 PhotoshopCS3 上的工具栏中的各项也变为变换调整选项,.拖动变换框上的变换点,或在工具栏上的水平、垂直缩放比例数值框中输入数值,即可缩放图像。在用变换框缩放图像时,按住【AIt】键,则将等比例缩放,如图 4-21 所示。按住【shift】键,则以图像中心向四周缩放。

图 4-21

2.旋转图像

选择【编辑→变换→旋转】命令,将鼠标移到变换框上,光标变换为旋转状,时,移动鼠标,即可旋转图像。另外,也可以直接在工具栏中的旋转数值框中输入旋转角度,即可旋转当前图层图像,如图 4-22 所示。

图 4-22

3.斜切图像

选择【编辑→变换→斜切】命令,用鼠标拖动变换框上的变换点,即可斜切图像。另外,也可以直接在工具栏中的水平、垂直斜切数值框中输入所需的斜切数值来斜切图像。

4.扭曲图像

选择【编辑→变换→扭曲】命令,用鼠标拖动变换框上的变换点,即可扭曲变形图像。另外,也可以在水平、垂直斜切数值框中输入所需的扭曲数值,扭曲图像,如图 4-23 所示。

图 4-23

5. 透视图像

选择【编辑→变换→透视】命令，用鼠标拖动变换框上的变换点，即可透视变形图像。另外，仍然可以在水平、垂直斜切数值框中输入数值，来精确透视图像。

6. 变形图像

选择【编辑→变换→缩放】命令，当前图层中图像的四周即可出现变换调整框，而 Photoshop CS3 上的工具栏也变为变换工具栏。拖动变换框上的变换点，或在工具栏上的水平和垂直缩放比例数值框中输入缩放比例，即可缩放图像(如图 4-24 所示)。还可以通过用鼠标拖动变换节点来使图像变形。

图 4-24

在用鼠标拖动完成图像的变形操作后，可以将光标放在变换框内双击鼠标左键，确认变换结果。或通过选择其他工具，完成变换操作后，并在弹出的对话框中选择操作是否应用的按钮。拖动变换节点使图像变形的方法与拖动变换节点使选区变形的操作方法相同。

4.3.3 自由变换图像

自由变换也就是可以让用户对图像进行诸多形式的变换，比如旋转、缩放、倾斜等操作，并且各种命令之间可任意切换。选择【编辑→自由变换】命令，或按组合键【Ctrl+T】，图像即可进入自由变换状态。在自由变换状态下对图像的变换操作如下。

·缩放：将鼠标光标置在变换框角的控制节点上拖动鼠标。拖动时，按下【Shift】键，可以等比例缩放；按下【An】键，可以以变换中心为基点缩放。

·旋转：将鼠标光标置在变换框外，光标变为旋转符号时拖动。

·斜切：按下组合键【Ctrl+Shift】，拖动变换节点。

·扭曲：按下【Ctrl】键，拖动变换节点，同时按下组合键【Ctrl+Alt】，拖动鼠标可以以变换中心为基点扭曲。

·透视:按下组合键【Ctrl+Shift+Alt】,拖动变换节点。

当用户选择了变换或自由变换命令,在图像进入变换编辑状态后,可以直接在其选项工具栏中输入数值来精确控制.图像的变形。

4.3.4 翻转图像

旋转画布命令子菜单中的命令与变换命令子菜单中的部分命令一样,操作方法相同,只是作用的对象不同。

名师点拨:

选择【图像→旋转画布】命令也能够使图像作旋转和翻转变换,不同的是,旋转画布命令可以对全图像有效,包括不同图层中的图像;而变换和自由变换命令只对当前图层中被选取的区域中的图像有效。

本章小结

本章主要介绍了图像的复制和粘贴、自定义图像、填充和描边、图像和画布的大小设置、图像的变换与翻转等内容。这些内容虽说不难理解,但却是使用频率极高的操作。

过关实战

一、理论测试

1.填空题

(1)在移动图像时按下 _____ 键,可水平或者垂直移动图像。

(2)对于图层中的图像,按下组合键 _____,可快速使图像进入自由变换状态。

(3)在图像中创建好选区后,选择 _____ 命令,可快速删除选区外的图像。

(4)选择"编辑"子菜单下的 _____ 命令,可复制选区内所有可见图层中的图像。

(5)选择"编辑"子菜单下的 _____ 命令,可将复制的图像置入到指定的选区内,而选区则被转换成图层蒙版。

2.选择题

(1)如果要更快地进行"还原"和"重做"操作,则可以按下 _____ 键。

A.Ctrl+Z   B.Ctrl+A   C Ctrl+C   DCtrl+X

(2)按下 Delete 键可以删除选区内的图像,删除的区域则于 _____ 图像中填入。

A.白色   B.背景色   C.前景色   D.透明

(3)利用 _____ 命令,可对选区或当前图层进行颜色和图案填充,并且在填充的同时还可以设置填充或图案的混合模式和不透明度。

A.填充   B.描边   C.清除   D.消褪

(4)利用 _____ 命令,可以将命令或缓冲区所存储的操作从内存中永久删除,且该操不能进行还原。

　　A.删除　　　B.描边　　　C.清除　　　D.清理

二、上机操作

打开素材文件(图 4-25、图 4-26、图 4-27),利用图像选择与编辑的相关知识,将图像进行合成。效果如图 4-28 所示。

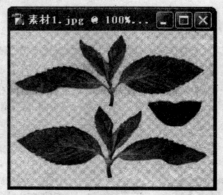

图 4-25

图 4-26

图 4-27

图 4-28

第5章 文本编辑

本章导读：

　　文字是人类文明的体现，同时文字、图像和颜色也是平面设计中的第3要素。Photoshop CS3 为用户提供了多种用于创建文字的工具，运用强大的字符、段落调板和路径文字功能一定能够让我们的艺术作品更精彩。

　　本章主要介绍了点文字和段落的创建、文字的变形和路径文字的创建等内容。

技能提要：

　　点文字的创建与编辑。
　　段落文字的创建与编辑。
　　蒙版文字的创建与编辑。
　　文字的变形。
　　路径文字的创建与编辑。

5.1 创建点文字

　　Photoshop cs3 中的文字与图像一样，是由像素构成的点阵字，其锐利程度与质量取决于文字的大小和图像的分辨率。从 Photoshop 7.0 起 Photoshop 的整个文字编辑过程均可以在矢量方式下进行，只不过在显示和打印时，我们见到的依然是像素文字。

5.1.1 点文字的输入

　　点文字指的是在图像窗口中输入单独的文本行，点文字行会随着文字的不断输入而不断地向窗口右侧延伸，且不换行。选择文字工具，在图像中单击鼠标以确定字符插入点后，即可输入点文字，如图5-1 所示。

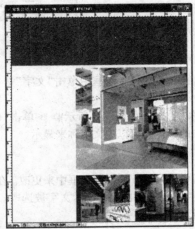 

图 5-1

Photoshop 创意与设计一本通

在输入文字的同时,在图层调板上会自动创建一个以用户输入的文字命名的文字图层。此时该图层的锁定透明像素和锁定图像像素等选项被强制勾选,用户只能进行文字的大小、移动、文字属性的等设置。

名师点拨:

在 Photoshopcs3 程序中,由于"多通道"、"位图"和"索引颜色"等颜色模式不支持图层,所以在这些模式的图像中输入文字时,不会自动生成文字图层,输入的文字全都直接在图像上显示。

5.1.2 文字编辑

利用文本工具栏和字符调板可以对文本的字体、字号、大小、行距、间距、颜色和基线偏移进行设置。Photoshop CS3 文字编辑与 Word 的字符编辑类似。

1.文本工具栏

选择文字工具即可激活文字工具栏(如图 5-2 所示)。通过文字工具栏,我们可以进行文字图层、文字蒙版、横排或竖排文字等方式的文字输入。

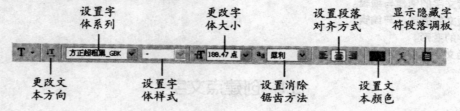

图 5-2

2."字符"调板

选择【窗口→字符】命令,或者单击窗口右侧的"字符"按钮 ,即可激活"字符"和"段落"调板(如图 5-3 所示)。通过"字符"调板可以完成所有的文本编辑。

3.以中文显示字体名称

Photoshop CS3 在默认状态下,文字工具栏和"字符"调板中的"字体"下拉列表框并没有直接用中文来显示所选汉字的字体名称,而是以英文字母来显示,这给我们的文字编辑带来了诸多不便。解决这一问题的步骤如下。

图 5-3

01 选择【编辑→首选项→文字】命令▶▶在打开的"首选项"对话框中单击"文字"选项卡,进入"文字"设置框。

02 在"文字"设置框中清除"以英文显示字体名称"复选框(如图 5-4 所示)▶▶单击"确定"按钮▶▶这时文本工具栏和"字符"调板中的"字体"列表框中的字体即可以中文名称来显示。

4.设置字体

Photoshop CS3 中的所有字体都可以通过"字符"调板中的"字体"下拉列表框来更改。在目标字符前单击并拖动到需要编辑的结束字符后释放鼠标,使文字呈现反白显示,表示文字被选取。选取文字后,在文字字体列表框中选择所需字体即可,如图 5-5 所示。

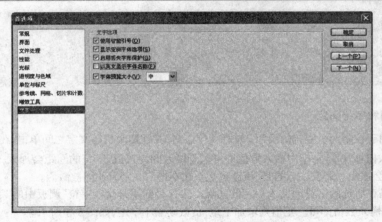

图 5-4

图 5-5

5.设置字号

　　字号即是指文字的大小，它决定文字的尺寸，可用字号或点的方式来设置。Photoshop 程序是以点的方式来设置字符大小的。Photoshop 默认的文字大小是 12 点，用户可以在工具栏字体大小数值框中设置数值，也可以通过定界框来缩放字体，如图 5-6 所示。

图 5-6

名师点拨：

　　以点方式设置字体大小时，数字越大，文字的尺寸越大；以字号方式设置字体大小时，数字越大，文字反而越小。

6.字距微调和字符间距

　　字距微调用于控制两个字符的间距。选择文字工具，并在两个目标文字之间单击，在"字符"调板中的"字距调整"数值框 中输入数值即可。若输入的为正值，字符的间距会加大；若输入的为负值，字符的间距会缩小。需要注意的是，该选项必须在不选取文字时才能被激活。

　　字符间距是在所选的字符间插入一定的间隔。选择目标字符，在"字符"调板中的"字距调整"数值框 中输入数值即可。正值则增加字距，负数则缩小字距，如图 5-7 所示。

图 5-7

7.水平和垂直缩放比例

　　可以通过改变文字的宽度和高度比例来设定文字的水平或垂直缩放比例。选择目标文字，在"字符"调板中的"垂直缩放"数值框 IT 100% 或"水平缩放"数值框 T 100% 中输入数值即可。

8.设置字符基线偏移量

　　基线设置可将选取字符相对于其他字符升高或降低位置，利用该功能可以创建文字的上标或下标。正值使横排文字向上移，竖排文字向右移；负值使横排文字向下移，竖排文字向左移。设置字符的基线偏移量可以为我们的设计作品增添视觉观感，让文字显得更有起伏转折，如图 5-8 所示。

图 5-8

9.编辑字符颜色

输入文字的颜色取决于当前的前景色,用户可以在输入文字之前或之后更改文字颜色。选取目标文字,单击"字符"调板中的"颜色框",在激活的"拾色器"对话框中选择颜色即可对目标文字上色。另外,还可以单击字符工具栏中的"颜色"按钮，激活"拾色器"来为字符设置满意的颜色。

10.加粗文字

选择文字字符或选择文字图层后,在"字符"调板中单击"仿粗体"按钮,或在调板的扩展菜单中选择"仿粗体"命令即可将选取的文字加粗。如果使用的文字本身具有粗体样式,可以在"字符"调板的字体样式下拉列表中选择"加粗"文字样式,能够使用加粗样式的一般都是英文字体。

11.设置字符样式

字符样式是针对英文而设置的,选取英文文字后,单击鼠标右键,在弹出的快捷菜单中,用户可以选择字体的仿粗体或仿斜体,不过不是所有的字体都能应用该样式。"字符"调板菜单里面有更加丰富的字符设置命令。

12.消除锯齿

文字消除锯齿的设置,可得到比较平滑的文字效果。单击文字工具栏中的"消除锯齿"下拉列表框,即可从中选取所需的消除文字边缘锯齿的项,如图 5-9 所示。

图 5-9

以下为消除锯齿各项的简要说明。
·无:表示不应用消除锯齿功能,这时文字的边缘会出现锯齿状。
·锐利:文字边缘显得较鲜明。
·犀利:文字边缘显得更鲜明。
·浑厚:文字边缘显得粗重。
·平滑:文字轮廓更平滑。

13.栅格化文字

Photoshop CS3 中的文字图层不能直接用滤镜或画笔工具来编辑。要解决这个问题,应先将文字图层转换为普通图层,即"栅格化"。用鼠标右键单击文字图层,在弹出的浮动菜单中选择"栅格化文字"命令,或者选择【图层→栅格化→文字】命令,都可将文字图层转换为普通的像素图层,如图 5-10 所示。

图 5-10

另外，文字图层栅格化后，图层调板上的文字缩略图标记 **T** 则变为像素图层样式，表示可以对该图层进行各种图像编辑。如果按下【Ctrl】键，单击图层调板中的文字图层，可激活文字轮廓选区。

5.1.3 点文字转换为段落文本

输入点文本后，在图层调板中单击目标文字图层，然后选择【图层→文字→转换为段落文本】命令，即可将该文字图层中的点文字转换为段落文本，如图 5-11 所示。

图 5-11

5.2 创建段落文本

段落文本是 Photoshop CS3 文字编辑中另一重要的文本对象。段落文本与点文字的输入、编辑非常类似，利用段落调板及其调板菜单可以完成段落文本的所有编辑。

5.2.1 段落文本的输入

Photoshop CS3 的段落文本都保留在被称之为文本框的框架中，在该框中输入的段落文本会根据框架的大小、长宽自动换行，当输入的段落文字超出了该框架所能容纳的文字数量，则在框架右下角会出现一个溢流图标 ⊞ ，提醒用户有多余的文本没有显示出来。增大文本框架的长宽或变小文字的字号，即可将隐藏的溢流文本显示出来。

_01_ 选择文字工具 **T** ，并在绘图窗口中单击▶▶然后沿对角线方向拖动出一个文本框，如图 5-12 所示。

_02_ 在文本框中单击鼠标，确定字符插入点▶▶在"字符"调板中设置所需字体、字号和字体颜色后▶▶即可在该文本框中输入所需的段落文本，如图 5-13 所示。

当文字处于编辑状态时，无法选择其他操作(例如，滤镜命令)。如果想结束文字的编辑操作，除了单击工具栏中的"提交所有当前编辑"按钮 ✔ 或选择其他任何工具外，还可以按下组合键【Ctrl+Enter】结束当前文本的编辑；而按 Esc 键或单击工具栏中的"取消所有当前编辑"按钮 ⊘ ，则取消当前文字的编辑。

5.2.2 定界框的编辑

在 Photoshop CS3 中文字也是一种图像，因此通过定界框变换图像的方法也适用于段落文本和点文字。对于段落文本可以直接拖动其文本框架上的变换点，即可缩放、旋转和翻转段落文本，不过以此方法缩放的文本框架，不会改变框架中文字的大小。

图 5-12　　　　　　　　　　　　　　　　　　图 5-13

　　要想通过定界框全面调整点文字或者段落文本，则需要先选择【编辑→自由变换】命令 (组合键【Ctrl+T】)，或者按【Ctrl】键，通过图形定界框来变换文本，如图 5-14 所示。

图 5-14

5.2.3　段落文字的编辑

　　段落文本的编辑可通过对段落文本框进行变换操作或更改段落文本特性调板上的设置来完成。如果您对 Word 文本编辑很熟悉，那么操作 Photoshop CS3 的段落编辑就简单了。

1.设置段落对齐

　　在图层调板中选择目标段落文本图层，单击段落调板中的段落对齐按钮，即可完成段落文本的对齐方式 (如图 5-15所示)。段落调板中的左对齐、居中对齐、右对齐方式不仅仅针对段落文字，同样也可作用于点文字。另外，要使不同文本图层的文字对齐，可采用图层间的对齐方式来编辑。

图 5-15

2.设置首行缩进

在图层调板中选择目标段落文本图层,在段落调板中的首行缩进数值框中输入所需值,即可完成段落文本的首行缩进设置,如图 5-16 所示。

图 5-16

3.设置段落间距

在图层调板中选择目标段落文本图层,在段落调板中的段落间距数值框中输入所需值,即可完成段落文本的段落缩进设置,如图 5-17 所示。

5.2.4 段落文本转换为点文字

点文本或段落文本创建后,首先取消文字工具的选取,然后再选择【图层→文字→转换为点文本】命令,即可将段落文本转换为点文本,如图 5-18 所示。

将段落文本转换为点文本后,所有溢出定界框的字符都将被删除。为避免损失,最好转换之前先调整文本定界框,然后再将其转换为点文本。

图 5-17　　　　　　　　　　　　　　　　　图 5-18

5.3　创建文字蒙版

文字蒙版与快速蒙版极其相似,即都是一种临时性的蒙版。通过横排文字蒙版或竖排文字蒙版工具可以快速创建出文字选区。

5.3.1 创建横排文字蒙版

选取"横排"文字蒙版工具,在图像中单击并输入文本,即可得到横排文字蒙版选区。文字蒙版不会单独创建一个新图层,而是将用户输入的文本在当前图层中创建为选区。其显示方式仍以闪动虚线来表现,与普通选区无二。

01 打开目标图像(如图 5-19 所示)▶▶单击图层调板中的"创建新图层"按钮,创建"图层 1"▶▶选择横排文字蒙版工具,在该图层中输入所需的横排文字,如图 5-20 所示。

图 5-19

图 5-20

02 选择其他工具,结束蒙版状态,得到如图 5-21 所示的横排文字蒙版效果▶▶按下组合键【Shift+Ctrl+I】,反向选择选区▶▶然后以绿色填充选区▶▶设置"层 1"的图层混合模式为"强光"后,即可得到如图 5-22 所示的效果。

图 5-21

图 5-22

当文字蒙版选区处于红色蒙版状态时,可对其进行所有字符格式化操作;而当取消蒙版状态时,仅能对其应用诸如变换、填充、描边等选区编辑操作。

5.3.2 创建直排文字蒙版

选择"直排"文字蒙版工具,在图像中单击并输入文本,即可得到直排文字蒙版选区。直排文字蒙版也不会单独创建一个新图层。

名师点拨:

横排文字蒙版工具和直排文字蒙版工具都是用来创建文字的外形选区。一般情况下,最好为文字蒙版选区再创建一个普通图层,而不是直接在文字图层上应用文字选区。

5.4 文字的变形

文字的变形就是将选取的文字进行各种扭曲,以产生不同形状的文字效果。Photoshop 的文字变形功能同 CorelDraw 软件的"封套"工具很相似。

5.4.1 变形文字

1.了解"变形文字"对话框

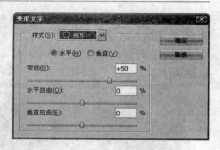

用文字工具 T 选取需要变形的文字，单击文字工具栏中的"创建文字变形"按钮 ⚡，在打开的"变形文字"对话框（如图5-23所示）中，Photoshop CS3程序为用户预设置了扇形、上弧和下弧等15种文字变形样式。

以下为"变形文字"对话框主要设置的简要说明。

·弯曲：在其数值框中可输入-100～+100的整数。单击"水平"单选按钮，输入正值，文字将向上弯曲变形；输入负值，文字则向下做弯曲变形。选取"垂直"项，输入正值，文字将向左弯曲变形；输入负值，文字则向右做弯曲变形。

·水平扭曲：在"水平扭曲"数值框中，用户可设置-100～+100的整数。输入正值，文字向右做扭曲变形；输入负值，文字向左做扭曲变形。

·垂直扭曲：在"垂直扭曲"数值框中，用户可设置-100～+100的整数。输入正值，文字将向上做扭曲变形；输入负值，文字将向下做扭曲变形。

图 5-23

2.扇形变形文字

_01_ 打开目标图像(如图5-24所示)▶▶然后用文字工具输入如图5-25所示的点文字。

图 5-24

图 5-25

_02_ 单击文字工具栏中的"创建文字变形"按钮▶▶在打开的"变形文字"对话框"样式"下拉列表框中选择"扇形"命令，设置"弯曲"为"-30%"(如图5-26所示)▶▶单击"确定"按钮，即可使文字扇形变形。

_03_ 通过"图层样式"对话框对扇形弯曲变形的文字进行"10像素"的白色描边，最终效果如图5-27所示。

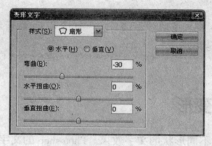

图 5-26

图 5-27

5.4.2 取消文字变形

如果要取消变形的文字,可在打开的"变形文字"对话框中的"模式"下拉列表框中选择"无"项,即可取消该文字的变形效果。

5.5 路径文字

Photoshop 从 CS 开始引入路径文字功能。利用该功能,用户可让段落文字按路径的起伏、弯曲来排列文本。

5.5.1 创建路径文字

首先用钢笔工具或形状工具在目标图像上绘制出一条闭合或开放的路径(如图 5-28 所示)。再选取文字工具,然后将光标放置到该路径上,当光标呈 工 状时,单击鼠标即可在路径上输入路径文字,如图 5-29 所示。

图 5-28

图 5-29

5.5.2 编辑路径文字

利用路径选择工具或直接选择工具,可对路径文字的方向和位置进行调整。

1.移动路径文字

选择路径选择工具 ▶ 或直接选择工具 ▶ 放置在路径文字上方,当光标变为 ✤ 状时,拖动鼠标便可沿路径移动文字,而向路径另一边拖动鼠标,又可将文字翻转到另一侧,如图 5-30 所示。

2.改变路径

选择路径选择工具 ▶ 或移动工具 ✤ ,选取路径文字并拖动到一个新的位置,路径会随之改变。用直接选择工具 ▶ 单击路径中的锚点,拖动方向杆可以改变路径形状,如图 5-31 所示。

图 5-30

图 5-31

·本章小结·

本章主要介绍了 Photoshop CS3 的各种文字工具的操作,文本编辑的特点。熟练掌握这些技术能够让我们在艺术创作中更快捷、更出色地进行文字的编辑处理。

·过关实战·

一、理论测试

1.填空题

(1)如果文字工具栏和"字符"调板中的"字体"下拉列表框中没有用中文显示汉字字体的名称,则需取消【首选项→文字】选项框中的 _____ 项即可解决。

(2)通过 _____ 和 _____ 工具,不论是在创建时还是在确认文字输入后均可改变其形状。

(3)默认状态下,在 Photoshop 中输入的文字为 _____ 点大小,用户除了可通过工具栏字体数值框来改变文字大小外,还可通过拖动 _____ 来缩放。

(4)按下键盘上的 _____ 键,可以将所选择的文字删除。

(5)在处于文字输入状态时,按下 _____ 键可以快速激活文本的自由变换框。

2.选择题

(1)当不能对文字图层执行某一滤镜时,将该文字转换为 _____,即可解决。

A.普通图层　　　B.填充图层

C.背景图层　　　D.形状图层

(2)按下 _____ 键,单击图层调板中的文字图层,即可得到文字的轮廓选区。

A.Shift　　B.空格　　C.Ctrl　　D.Alt

(3)文字蒙版工具是用来创建文字的外形选区的。一般情况下,最好为文字蒙版选区再创建一个 _____,而不是直接在图像上应用文字选区。

A.通道　　B.图层　　C.路径　　D.蒙版

二、上机操作

利用文字编辑的相关知识,并结合前面所学内容,制作一张如图 5-32 所示的效果。

图 5-32

第6章 路径

本章导读：

　　作为一款图像程序,尽管 Photoshop 的路径编辑没有像在 CorelDraw、Illustrator 程序中那样方便,但其在功能上与 CorelDraw、Illustrator 不相上下。利用路径,我们可以创建出各种复杂的图形、选区和矢量蒙版。

　　本章主要介绍了路径的概念、路径调板的使用、路径绘制工具、路径编辑工具和形状工具等内容。

技能提要：

　　路径的概念。
　　了解路径调板。
　　掌握路径绘制和编辑工具。
　　路径的编辑、对齐和分布。
　　路径的填充与描边。

6.1　路径的认识

　　Photoshop 中利用钢笔、形状等工具绘制的图形被称为路径。虽说 Photoshop CS3 是一款以处理位图为主的图像软件,但是:Photoshop CS3 的路径绘制、编辑功能却也丝毫不逊色于以矢量编辑著称的 CorelDraw、Illustrator 等软件。

6.1.1　路径的概念

1.什么是路径

　　所谓"路径"就是指一些不可打印,并由若干锚点、线段(直线段或曲线段)所构成的矢量线条。在曲线段上每个被选取的锚点都会显示出一条或两条方向线,方向线以方向点结束。方向线和方向点所在的位置决定了该路径的形状和大小,移动这些元素即可改变路径的形状与大小,如图 6-1 所示。

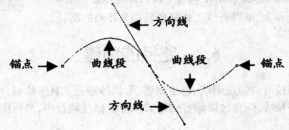

图6-1

　　路径可以是闭合的,没有起点和终点(例如,一个圆圈);也可以是开放的,带有明显的端点(例如,一条波浪线)。用路径所形成的线条都为矢量线条,无论放大或缩小都不会影响其分辨率。编辑完成的路径可以保存在路径调板中,也可输出为一个扩展名为 AI 的矢量文件,在其他程序中重新进行编辑。

2.锚点

锚点又称为节点。在绘制路径时,线段与线段之间由一个锚点连接,锚点本身具有直线或曲线的属性。当锚点显示为白色空心时,表示该锚点未被选取;而当锚点为黑色实心时,表示该锚点为当前选取的点。

3.线段

两个锚点之间连接的部分,如果线段两端的锚点都带有直线属性,则该线段为直线;如果任意一端的锚点带有曲线属性,则该线段为曲线。当改变锚点的属性时,通过该锚点的线段也会被影响。

4.方向线

当用"直接选择"工具 或"转换节点"工具 选择带有曲线属性的锚点时,锚点的两侧便会出现方向线。用鼠标拖动方向线末端的方向点,即可改变曲线段的弯曲程度。

5.角点与平滑点

尖的曲线路径由被称为"角点"的锚点连接,且该锚点没有方向线;平滑曲线则由被称为"平滑点"的锚点连接,如图 6-2 所示。

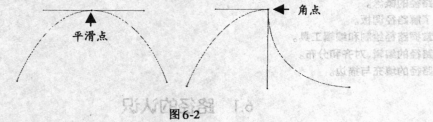

图 6-2

6.路径与子路径

在 Photoshop CS3 中无论是创建了一条还是许多条不相连的路径,都将被看作是一个路径,每个互不相连的路径则被称为"子路径"。路径是一组点、直线和曲线的集合,不论这些元素是开放的还是闭合的,间断的还是连续的。

6.1.2　路径控制调板

要想最大程度地发挥路径的功能,就离不开路径调板(如图 6-3 所示)。通过该调板可对路径保存、填充、描边、复制、建立选区等操作。通常情况下绘制的路径都还是一种临时性的工作路径, 关闭 Photoshop CS3 程序后,该工作路径就会消失。在路径调板中将目标工作路径拖动到"创建新路径"按钮 调上,即可将该工作路径转换为普通的路径。

图 6-3

6.2　路径的创建

Photoshop CS3 中的路径可以通过钢笔、自由钢笔、形状等路径工具来绘制,也可以将选区转换为路径。其中将选区转换为路径后,该选区以路径的形式保存在路径调板中,当再次需要该选区时,又可将此路径转换为选区。

6.2.1　钢笔工具绘制路径

用钢笔工具可以创建或编辑直线、曲线、自由的线条、路径及形状图层。钢笔工具可以创建出比自由钢笔工具更精确的直线和平滑流畅的曲线。对于大多数用户, 钢笔工具为绘图提供了最佳的控制和

Photoshop 创意与设计一本通

最高的精确度。在图像上单击，即可创建起始锚点，再次单击则创建下一个锚点，锚点与锚点之间则会产生一条路径线段。编辑路径上的锚点、线段和方向点，即可绘制出任何形状的矢量图形。

1.钢笔工具栏

当选择钢笔工具 ✿ 时，便会激活钢笔工具栏(如图6-4所示)。通过该工具栏，用户不仅可以创建路径或形状图层，而且还可以快速切换到磁性钢笔、几何路径等其他路径工具。

路径

形状图层　填充像素　　　　　　　　　　像素图层

图6-4

以下为钢笔工具栏各项简要说明。

·形状图层：单击该按钮后，即可用钢笔或形状等路径工具在图像中添加一个新的形状图层。所谓形状图层，就是用钢笔或形状工具创建的图层。在创建的形状中会自动以当前的前景色填充，用户也可以很方便地改用其他颜色、渐变或图案来进行填充。形状的轮廓存储在链接到图层的矢量蒙版中，如图6-5所示。

·路径：路径是出现在路径调板中的临时路径，用于定义形状的轮廓。当单击该按钮后，即可用钢笔或形状工具绘制出路径，而不会形成形状图层，如图6-6所示。

·填充像素：选择该项后，则在绘制图像时，既不产生路径，也不生成形状图层，而会在当前图层中创建一个由前景色填充的像素区域。该填充像素与选区将用的前景色填充得到的效果完全相同，如图6-7所示。

·路径工具组：路径工具组包括钢笔、自由钢笔、矩形、圆角矩形、椭圆、多边形、直线和自定义的形状工具；用户在绘制路径过程中，可以通过该工具组快速切换到其他路径工具，而无需再到工具栏中选取。

·橡皮带：勾选该复选框后，钢笔工具在绘制图形时，光标由起始点移向终点的过程中，钢笔工具后面终始拖动着一条路径线。

·自动添加/栅4除：勾选该复选框，钢笔工具就具有了智能增加和删除锚点的功能。将钢笔工具放在选取的路径上，光标即可变为✿状，表示可以增加锚点；而将钢笔工具放在选中的锚点上，光标即可变为✿状，表示可以删除此锚点。

图6-5

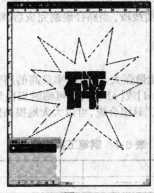
图6-6

图6-7

2.绘制直线路径

选取钢笔工具，在图像上单击，创建一个实心的路径起始点，用鼠标在下一目标处单击，即可在这两点间创建一条直线段，最后将光标放置在路径起始点上，此时光标呈✿状，表示终点已经连接起点，单击即可创建一条闭合路径(如图6-8所示)。在单击确定锚点的位置时，若按住【Shift】键，线段则以45°

角倍数方向移动。

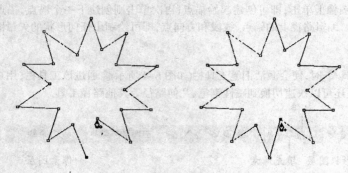

图 6-8

3.绘制曲线路径

用钢笔工具在图像上单击,创建对称曲线锚点。该锚点两端会有一对呈 180°的等长的方向线。在下一锚点处单击并拖动鼠标,即可生成一条曲线路径,重复上述操作,即可绘制出任何形状的曲线路径,如图 6-9 所示。

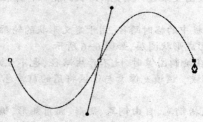

图 6-9

在绘制路径过程中按住【Ctrl】键,这时光标将呈 ▶ 状,拖动方向点或者锚点,即可改变路径的形状。改变方向线的长度或方向,就可以改变锚点间曲线段的斜率,方向线越长,曲线线段也越长;方向线角度越大,曲线线段斜率也越大。

4.绘制闭合路径

用钢笔工具 ♦ ,在图像上单击确定路径起始点,单击第 2 个锚点绘制直线段。在图像上单击确定下一锚点,按住鼠标拖动出方向线,绘制曲线段。当路径绘制完成后,将光标移到起始锚点处,光标呈 ♦。状后单击,即可完成闭合路径的绘制。

5.钢笔工具组合键

由于钢笔工具是 Photoshop 中功能最强大、使用频率最高的路径工具,因此,Photoshop 非常善解人意,用户在使用钢笔工具时,只需按【Ctrl】或【Alt】键,即可临时切换到路径选择工具、直接选择工具和转换点工具上。利用表 6-1 所示的钢笔工具组合键,可以大大地提高路径编辑的工作效率。

表 6-1 钢笔工具组合键

路径操作任务	快 捷 键
激活钢笔工具	P
钢笔工具与自由钢笔工具之间的切换	Shift+P
钢笔工具与路径选择工具之间的切换	Ctrl+Alt
钢笔工具与直接选择工具之间的切换	Ctrl
钢笔工具与转换点之间的切换	Alt
钢笔工具与抓手工具之间的切换	空格键
复制路径	按住组合键 Ctrl+Alt,并移动路径

6.2.2　自由钢笔编辑路径

选取自由钢笔工具 ，即可激活该工具栏(如图6-10所示)。使用自由钢笔工具 绘制路径时，只需按住鼠标左键并拖动，PhotoshopCS3就会自动以鼠标拖动的路径创建锚点。

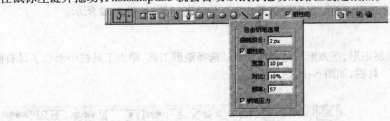

图6-10

勾选"磁性的"复选框，用自由钢笔工具绘制路径时，只需要单击鼠标左键，然后沿图像边缘拖动鼠标，路径就会自动磁性黏合图像边缘，双击鼠标即可闭合路径，如图6-11所示。

图6-11

磁性钢笔和磁性套索工具有很多相同的选项，可以跟踪图像的边缘自动形成路径。以下即为自由钢笔"磁性的"设置项的简要说明。

·曲线拟合：控制拖动鼠标产生路径的灵敏度，取值范围是0.5～10，数值越大，形成的路径越简单，路径上的锚点也越少；反之数值越小，形成路径上的锚点越多，路径也就越黏合物体的边缘。

·宽度：用于定义磁性钢笔工具检索的距离范围。若输入8px，则磁性钢笔工具只寻找8个像素距离之内的物体边缘。数字范围为1～256px。在绘制路径的过程中，可以通过按住键盘上的"("键减少磁性钢笔宽度，而通过按住键盘上的")"键可增加磁性钢笔宽度。

·对比：用来定义磁性钢笔工具对边缘的敏感程度。数值大，只能检索到与背景对比度非常大的物体边缘；数值小，就可以检索到低对比度的边缘。它的取值范围是1%～100%。

·频率：用来控制磁性钢笔工具生成控制点的多少。频率越高，越能更快地固定路径边缘，取值范围是0～100。

·钢笔压力：如果使用的是钢笔绘图板，可勾选或取消"钢笔压力"复选框。当选择该选项时，钢笔压力的增加将导致宽度减小。

名师点拨：

在用自由钢笔工具绘制路径时，若想删除锚点或路径线段，直接按【Dele te】键；若想结束路径，按下【Enter】键；若双击鼠标，将会以磁性线段闭合；若按住【Alt】键，将以直线段闭合。

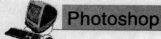

6.2.3 形状工具

虽说钢笔工具是绘制路径最强大的工具,但它在绘制工整的几何形状路径时,就会显得过于麻烦。因此,Photoshop CS3 另外还提供了一组可快速绘制几何路径的形状工具。Photoshop CS3 形状工具组包括矩形、圆角矩形、椭圆、多边形、直线、自定形状等 6 个矢量绘图工具,如图 6-12 所示。

1.矩形工具

利用矩形工具可以绘制矩形、正方形的路径或形状。选择矩形工具,单击工具栏中形状工具右侧的下拉按钮,就会激活矩形工具栏,如图 6-13 所示。

图 6-12

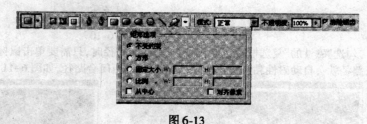

图 6-13

以下即为矩形工具栏各项的简要说明。

·不受约束:绘制矩形时,比例和大小不受约束。

·方形:选择此项后绘制出的是正方形。

·固定大小:输入数值可以固定矩形的宽、高尺寸。

·比例:输入数值可以固定矩形宽和高的比例。

·从中心:由中心开始进行矩形的绘制。

·对齐像素:使绘制矩形的边缘自动与像素边缘重合。

选择矩形工具 ,在绘图区中单击鼠标并拖动,创建矩形。按住【shift】键则创建正方形。用户还可对图形设置样式或颜色。

2.圆角矩形工具

圆角矩形工具可以绘制出圆角矩形或圆角正方形。其绘制方法与矩形和正方形的相同。选择圆角矩形工具后,用户除可在选项工具列上进行与矩形工具选项相同的设置,还可以进行圆角的半径设置。在半径输入框中输入的数值越大,圆角矩形的圆弧转折越大。

3.椭圆工具

使用椭圆工具可以绘制出椭圆或正圆。选择椭圆工具后,采用绘制矩形或正方形的方法来绘制椭圆或正圆。用户可在选项工具列上进行与矩形工具选项相同的设置。

4.多边形工具

利用多边形工具可以绘制正多边形,如等边三角形和五角星等。单击形状工具下拉按钮就会出现多边形工具的工具栏,如图 6-14 所示。

图 6-14

以下即为多边形工具栏各项的简要说明。

·半径:设置多边形半径的长度。输入数值后,只要在画面上单击并轻轻拖动,即可绘出多边形。

·平滑拐角:勾选此复选框后,会使绘制出来的多边形具有平滑的顶角。

·星形:勾选此复选框后,绘制出来的多边形向中心缩进呈星形,缩进的程度由其下面的"缩进边依据"文本框来决定。

·平滑缩进:勾选此复选框后,多边形的边平滑地向中心缩进,如图 6-15 所示为不同缩进度的 5 边形效果。

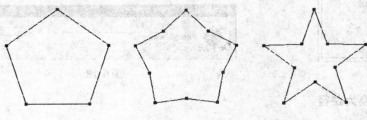

图 6-15

5.直线工具

利用直线工具可以绘制出直线和箭头的形状和路径。选择直线工具后,在绘图区中单击鼠标并拖动,可以绘制出直线。用户除可在选项工具栏(如图 6-16 所示)上进行与矩形工具选项相同的设置外,还可以进行直线的粗细值设置。

图 6-16

以下即为直线工具栏各项的简要说明。

·宽度:箭头宽度和线段宽度的比值,可输入 10% ~ 1000% 之间的值。

·长度:箭头长度和线段宽度的比值,可输入 10% ~ 5000% 之间的值。

·凹度:定义箭头的凹陷程度,可输入 −50% ~ 50% 之间的值。

6.自定形状工具

自定形状工具是 Photoshop CS3 内设的非几何形状的图样,用户可以直接套用这些图样,也可以自己创建矢量图像放于形状列表中。选择自定形状工具后,在选项工具列的形状列表中选择所需图样,然后在绘图区中单击鼠标并拖动,可以绘制出所需形状。

7.自定义形状图形

Photoshop CS3 除了向用户提供现有的众多形状图形外,还允许用户将自己所绘制的路径形状添加到形状库中。下边我们将自定义一个形状图形。

01 首先在 Photoshop CS3 中用钢笔等路径工具绘制出所需要的形状路径▶▶然后用路径选择工具框选全部的路径,如图 6-17 所示。

02 选择【编辑→定义自定形状】命令▶▶在打开的"形状名称"对话框中输入自定义形状的名称,如图 6-18 所示。

03 单击"确定"按钮,即可将自定义的矢量图形添加到自定形状库中▶▶我们这时就可以在"形状"下拉列表框的最后面看到刚才存储的自定义形状。

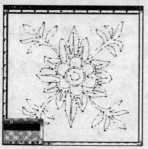

图6-17

图6-18

6.2.4　选区转换为路径

在 Pihotoshop CS3 中创建一个复杂的选区很不容易,为了将这一触即失的劳动成果永久保存下来,除了将其保存为 Alpha 通道外,另一种方法就是将选择转换为路径。

01　创建选区(如图 6–19 所示),然后选择路径调板菜单中的"建立工作路径"命令▶▶在打开的"建立工作路径"对话框中输入"容差"数值(如图 6–20 所示)。

02　单击"确定"按钮,即可将选区转换为工作路径(如图 6–21 所示)▶▶最后再将工作路径保存为变通路径,即可永久保存住选区了。另外,单击路径调板下的"从选区生成工作路径"按钮,也可以将选区转换为工作路径。

图6-19

图6-20

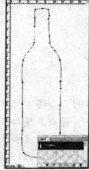

图6-21

排解疑难:

问:"建立工作路径"对话框中"容差"将会对选区与路径之间产生什么

答:"建立工作路径"对话框中的"容差"数值范围为 01.5~10.0px,数值的大小决定了转换后的路径与原始选区边缘的平滑度。容差值越大,转换的精度越低,越会损坏选区边缘的细节,并产生与原始选区非常大的误差;容差值越小,保留的边缘细节越多,所转换的路径与原始选区边缘越接近。

6.2.5　路径转换为选区

在 Photoshop CS3 中选区司以转换为路径,路径也同样可以转换为选区。将路径转换为选区方法如下:

01　选择目标路径,执行路径调板菜单中的"建立选区"命令▶▶▶在打开的"建立选区"对话框中设置羽化半径、消除锯齿和选区操作等项,如图 6–22 所示。

<u>*02*</u> 单击"确定"按钮，即可以将所选路径建立为选区(如图6-23所示)。另外，单击路径调板下的
"将路径作为选区载入"按钮 ，也可将目标路径转换为选区。

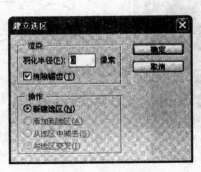

图6-22

图6-23

名师点拨:

除了以上方法外，用户还可以在选择目标路径后，直接按下组合键【Ctrl+Enter】，即可将闭合的
路径转换为选区。

6.3 路径的修改

一条完美的路径很少一次就能绘制完成，它往往需要经过多次反复修改才能令人满意。因此在绘
制路径的过程中，用户经常需要路径选择、直接选择、转换点、添加/删除锚点等路径编辑工具的共同帮
助。

6.3.1 路径选择工具

在Photoshop CS3中，要想编辑路径，首先要选取它。路径选择工具包括"路径选择"工具 和"直接
选择"工具 。点选或选取路径后，被选取的路径即可显出所有的锚点，这时即可用路径选择工具或直
接选择工具编辑锚点或方向线，来改变路径的形状。

1.路径选择工具

路径选择工具 用于选取一个或多个路径，并可对其进行移动、组合、对齐、分布和复制变形。用
路径选择工具选取目标路径后，即可激活其工具栏(如图6-24所示)。通过该工具栏可以对路径进行显
示定界框、布尔运算、对齐和分布等操作。

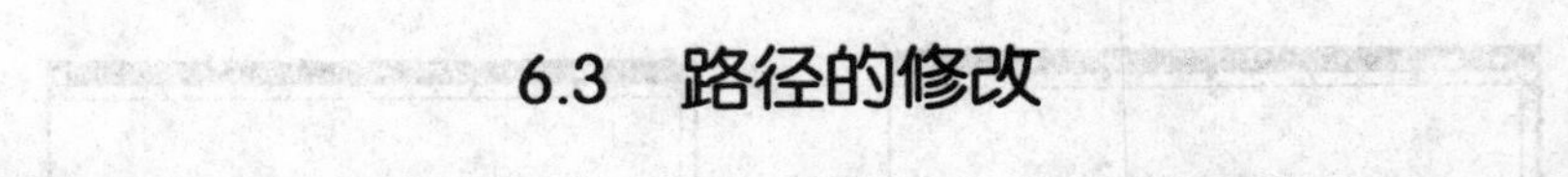

布尔运算按钮　　　　　路径对齐按钮　　　　　路径分布按钮

图6-24

2.直接选择工具

直接选择工具 主要用于移动和调整路径上的锚点和线段。使用路径选择工具选取目标路径后，
如果路径中所有锚点均以实心显示，表示选取的是整条路径；如果锚点均以空心显示，则表示还不能用
直接选择工具进行锚点编辑。只有单击目标锚点，将其变为实心后才能对其移动，如图6-25所示。

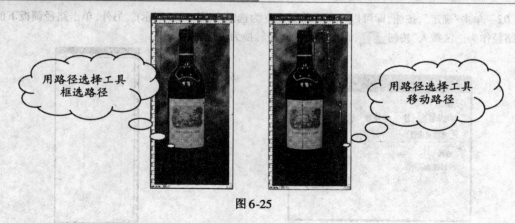

图 6-25

当利用路径选择工具和直接选择工具选取路径后,可以利用键盘上的方向键←、↑、→↓等距离的平移路径。当选取了目标锚点时,同样也可用此方法移动锚点。

6.3.2　转换点工具

转换点工具 在直线属性锚点上拖动,可将该直线锚点属性转换为曲线属性。用转换点工具 在曲线段锚点上单击,又可以将该锚点的曲线属性转换为直线属性,如图 6-26 所示。

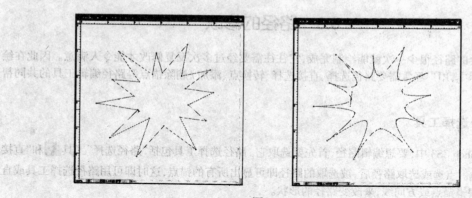

图 6-26

当用转换点工具拖动锚点,转换锚点为曲线属性时,该曲线锚点的类型为对称锚点,它使该锚点两端的线段具有同样的曲率。在对称锚点的方向点上单击并拖动,可以将对称锚点转换为尖突锚点,尖突锚点使该锚点两端的曲线可以成锐角弯曲。

6.3.3　添加锚点工具

选择添加锚点工具 ,在路径上单击鼠标左键,即可添加一个锚点。使用添加锚点工具时,按住【Ctrl】键移动光标到路径锚点上,则会切换到删除锚点工具 。

6.3.4　删除锚点工具

选择删除锚点工具 ,在路径锚点上单击,即可删除该锚点。使用删除锚点工具时,按住【Ctrl】键移动光标到路径锚点上,则会切换到添加锚点工具 。

名师点拨：

　　其实对于路径的所有编辑操作，仅仅通过钢笔工具就可以完成。将钢笔工具放置到路径上时，钢笔工具即寸临时切换到添加锚点工具；将钢笔工具放置到锚点上，钢笔工具将变成删除锚点工具。如果此时按住【Alt】键，则删除锚点工具又会变成转换点工具；在使用钢笔工具时，如果按住【Ctrl】键，钢笔工具又会切换到直接选择工具。

6.4　储存和删除路径

　　一般在 Photoshop CS3 得到的路径都是临时性的工作路径，这种工作路径会在关闭 Photoshop 程序后消失。只有将工作路径保存为路径，才能永久保存下来。按下 Delete 键，或者通过删除按钮，即可删除路径。

6.4.1　储存路径

　　当创建了路径后，路径调板中将自动添加一个"工作路径"。不过该工作路径仅是个临时路径。关闭路径，再在文档中绘制其他的路径时，将自动替换先前的路径。因此，最好将工作路径保存在普通路径层中，避免出现失误使工作路径丢失。绘制路径后，选择调板菜单中的"存储路径"命令，在"存储路径"对话框中输入路径名称，单击"确定"按钮即可将其保存为普通路径，如图 6-27 所示。

图 6-27

6.4.2　删除路径

　　通过选择路径调板菜单中的"删除路径"命令，或者单击路径调板中的"删除当前路径"按钮即可删除当前层中所有的路径。当一个路径层中包含有不止一条路径时，按下 Delete 键，即可删除所选择的路径，通过该方法不会删除路径所在的层。

6.5　编辑路径

　　本节将讲述路径变换选项栏、组合路径、对齐和分布路径等路径编辑内容。

6.5.1　路径变换工具栏

　　在路径工具栏中勾选"显示定界框"复选框后，被选取路径四周便会有一个呈 8 个变换点的定界框，利用该定界框，即可快速旋转、缩放和移动当前路径。路径定界框的功能类似于"自由变换"命令。当用定界框缩放、旋转路径时，即可激活路径变换参数工具栏(如图 6-28 所示)。路径定界框在该工具栏帮助下可以更精确的变换路径。

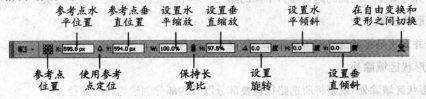

图 6-28

以下为路径变换工具栏主要选项的简要说明。

·使用参考点定位：单击该按钮 △，X、Y 值表示的是路径的变化值；反之，X、Y 值则表示控制点所在位置的坐标值。

·保持长宽比：单击该按钮 █，两侧的 W、H 数值表示路径的宽和高是等比例缩放。

6.5.2 组合路径

组合路径与添减选区的原理完全相同，当用户用路径选择工具选择两个或两个以上的路径时，就可以在选项工具栏 █████ 中选择需要的"组合方式"即"布尔运算"，单击"组合"按钮即可将这些路径组合。下面我们将用组合路径来创建如图 6-29 所示的咖啡杯轮廓。

图 6-29　　　　　　　　　　　　　　　　　　　图 6-30

1.添加到形状区域

01　选择椭圆工具，并单击工具栏中的"路径"按钮▶▶然后在咖啡杯的托盘上绘制一适当大小的椭圆▶▶按下快捷组合键，通过激活的变换框将椭圆调整到与托盘同样的大小，如图 6-30 所示。

02　选择钢笔工具、转换点工具绘制出咖啡杯的轮廓路径▶▶用路径选择工具框选全部的路径(如图 6-31 所示)▶▶单击工具栏中的"添加到形状区域"按钮 █ ▶▶单击"组合"按钮，即可将这两个路径组合为一个路径，如图 6-32 所示。

图 6-31　　　　　　　　　　　　　　　　　　　图 6-32

2.从形状区域减去

此种合并方式是用上面的路径修剪下面的路径。运用时要注意子路径的上下层关系。

3.交叉形状区域

此种合并方式是将所选路径重叠的部分创建为新路径。

4.重叠形状区域除外

"重叠形状区域除外"就是将所选路径重叠部分以外的部分创建为新的路径。

01　选择椭圆工具，在杯白上绘制一个椭圆▶▶按下快捷组合键，通过变换框将椭圆调整到与杯口同等大小▶▶以同样的方法绘制出杯把的小椭圆，如图 6-33 所示。

02 选择路径选择工具▶然后框选咖啡杯上的两条路径(如图 6-34 所示)。单击工具栏中的"添加到形状区域"按钮 ▶▶单击"组合"按钮，即可得到一个完整的咖啡杯轮廓路径，如图 6-35 所示。

图 6-33   图 6-34   图 6-35

6.5.3 对齐分布路径

路径的排列包括水平方向上的对齐与分布和垂直方向上的对齐与分布。当用户选择了两条以上的路径，就可以单击选项工具栏上的对齐路径按钮；当选择了 3 条以上的路径，就可以单击选项工具栏上的分布路径按钮，如图 6-36 所示。

图 6-36

选择多个目标路径，然后单击对齐或分布路径按钮，即可对齐或分布路径，如图 6-37 所示。

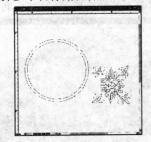

图 6-37

6.6 路径的填充与描边

路径的填充和描边与选区的填充和描边的效果完全相同。只不过对于那些边缘平滑、简约轮廓的图像，直接用路径填充、描边来的更轻松，更方便。

6.6.1 填充路径

1.填充路径

填充路径功能多用于对那些具有平滑、简约轮廓的物体来个改头换面。在图像上绘制好路径，单击路径调板下的"用前景色填充路径"按钮 ，即可用前景色填充工作路径。

如果想得到更复杂的填充效果,例如,背景色、图案填充和灰色,可以选择鼠标右键菜单中的"填充路径"命令,在打开的"填充路径"对话框中设置所需项(如图6-38所示),单击"确定"按钮,即可得到各种路径填充效果。

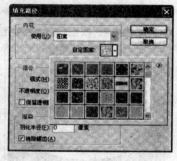

图 6-38

2.路径图案填充

下面我们将用路径填充功能来改变咖啡杯的表面图案,具体操作方法如下。

01 打开咖啡杯图像▶▶单击图层调板中的创建新图层按钮,创建一个新图层▶▶在目标路径上单击鼠标右键,选择鼠标右键菜单中的"填充路径"命令,如图6-39所示。

02 在打开的"填充路径"对话框中的"使用"下拉列表框中选择"图案"▶▶在"自定图案"下拉岁列表框中选择"叶子图案纸"项,如图6-40所示。

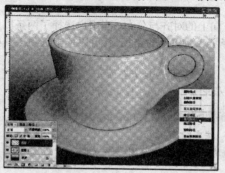

图 6-39

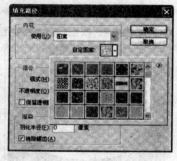

图 6-40

03 单击"确定"按钮,即可为咖啡杯填充树叶图案(如图6-41所示)▶▶再设置该图层的混合模式为"正片叠底","不透明度"为40%,这时一个改变了表面图案的咖啡杯就绘制完成了,如图6-42所示。

图 6-41

图 6-42

6.6.2 路径描边

描边路径就是用选取的画笔、铅笔、图章等绘图工具沿着路径线描绘出路径,得到一个对象轮廓图像。其操作方法与路径填充相同。

在路径上单击鼠标右键,选择鼠标右键菜单中的"描边路径"命令,在打开的"描边路径"对话框下拉菜单中选择事先已经设置好的绘画工具,例如,画笔、铅笔(如图6-43所示)。单击"确定"按钮,即可得到路径的描边效果。

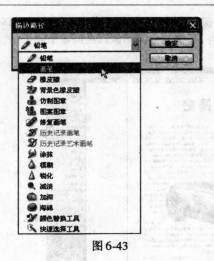

图 6-43

6.7 导出路径

通过导出路径，我们可以将在 Photoshop CS3 中创建的图像选区以路径的形式输出，而让其他矢量软件进一步的编辑。也就是说，通过该方法可以非常完美地将位图转换为矢量图。

6.7.1 剪贴路径

凡用过 PageMaker、InDesign 等排版软件的用户都会碰到一个问题，如果文本中绕排某个具有背景的图像时，该背景会给文档版面带来很大的负面影响。如果利用 Photoshop 的"剪贴路径"功能，则可以将图像除路径之外的区域变为透明。

01 首先绘制图像轮廓路径▶▶并将其由"工作路径"存储为"路径"，如图 6-44 所示。

02 选择路径调板菜单中的"剪贴路径"命令▶▶在打开的"剪贴路径"对话框中的"展平度"数值框中输入数值，如图 6-45 所示。

图 6-44

图 6-45

_03_ 单击"确定"按钮▶▶▶并将该图像以.TIF 格式保存▶▶当将此图置入：PageMaker、InDesign 等程序进行绕排时，就会发现除闭合路径区域内的图像外，其他部分的图像都被掩盖了起来，效果如图 6–46 所示。

图 6-46

6.7.2　路径到 Illustrator

"路径到 Illustrator"命令用于将.Photoshop 的路径输出为能被 Illustrator、CorelDraw 程序重新编辑的矢量图形。例如，通过该功能可将 Photoshop 中图像的轮廓以矢量路径的方式导入路径到 Illus 订 ator 进行再编辑。

本章小结

　　路径是 Photoshop CS3 的另一个极重要的组成部分。我们除了可以通过路径绘制精美图形外，还可以将所绘路径转换成精确选区。因此，熟练掌握路径的操作对于任何一个 Photoshop 用户来说都是非常重要的。

过关实战

一、理论测试

1.填空题

　　(1)路径就是指一些不可打印，并由若干 _____、_____ 所构成的矢量线条。

　　(2)在使用钢笔工具时，只需按下 _____ 或 _____ 键，就可以临时切换到直接选择工具和转换点工具。

2.选择题

　　(1)_____ 是出现在路径调板中的临时路径，用于定义形状的轮廓。

　　A.工作路径　　　B.路径 1　　C.路径　　　D.剪切路径

　　(2)_____ 是自由钢笔的选项，它可以绘制与图像中定义区域的边缘对齐路径。

　　A.半径　　B.自动添加或删除　　　C.粗细　　D.磁性钢笔

　　(3)利用 _____ 工具可以选择多个路径，并对其移动、组合、对齐、分布和变换。

　　A.直接选择工具　　　B.添加锚点工具

　　C.钢笔工具　　　D.路径选择工具

二、上机操作

　　利用本章所学的路径知识，并结合图像编辑的相关功能，绘制并制作如图 6–47 所示的图像效果。

图 6-47

第7章 绘画工具

本章导读：

绘画工具为我们创建新图像和在已有的图像上做精彩处理提供了强有力的支持，在 Photoshop 中，通常用画笔、铅笔和颜色替换等工具进行绘画，用橡皮擦、修复画笔和图章等工具对图像像素进行修改。

本章主要介绍了画笔调板的设置，画笔、铅笔、颜色替换和橡皮擦、历史记录画笔、修复画笔和图章等绘画工具的使用与操作技巧。

技能提要：

了解画笔调板的设置。
绘画类工具和恢复画笔类工具。
图章工具和历史记录画笔工具。
像素处理和颜色处理工具。
渐变工具。

7.1 画笔的设置

Photoshop CS3 的画笔工具包括画笔、铅笔、颜色替换画笔、历史记录画笔、历史记录艺术画笔、图章、橡皮擦、背景色橡皮擦、魔术橡皮擦、渐变、模糊、锐化、涂抹和减淡。利用这些工具，我们可以创建出许多个性十足的图案来。

7.1.1 画笔调板

在 Photoshop CS3 中使用绘画类工具，就必须先了解画笔调板。因为除了修复画笔工具、修补工具之外，其他所有的绘画工具都可以通过画笔调板来设置。

1.画笔调板的结构

选取画笔工具 ，单击其工具栏右侧调板窗中的"画笔"功能按钮 ，即可弹出画笔选项设置调板。画笔调板由项目区、目标区、预览区 3 部分组成(如图7–1所示)。另外，单击右上角的 按钮，还可打开更多功能选项的调板菜单。当用户在项目区选取画笔某一选项后，目标区即可显示出该选项的所有设置，而在预览区又会显示所选画笔的具体形状。

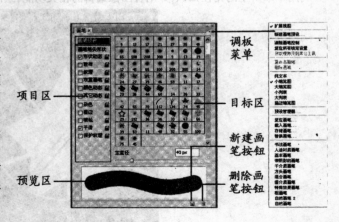

图 7-1

2.画笔笔尖形状

单击"画笔笔尖形状"选项卡,即可激活"画笔笔尖形状"设置调板,在该调板中可设置画笔笔尖形状的间距、硬度、角度和圆度。以下为"画笔笔尖形状"设置调板各项的简要说明。

·直径:用来编辑画笔的直径,设置的数值越大,画笔的笔触就越粗,变化范围为 0～2500px,取样大小为104Px。

·角度和圆度:用于设置画笔的角度和椭圆笔长轴和短轴的比例。角度数值为 ～180% ～+180%,圆度数值为 0% ～100%。

·硬度:指画笔涂抹边界的柔和程度,一数值为 0% ～100%。0%表示从笔迹中心到外沿 −50%表示从笔迹直径的50%向外,数值越小,画笔越柔和。

·间距:用于控制绘制线条时,两个绘制点之间的中心距离,范围为 1% ～1000%。值为 25% 时,绘制的是较为平滑的线条。值为 200% 时,绘制的是断断续续的圆点。

通过"画笔笔尖形状"设置调板,用户可以将画笔变成铅笔、毛笔、水彩笔和美工笔等任何一种想要的画笔(如表 7-1 所示)。

表 7-1　画笔笔尖设置

画笔笔尖图示	说明文字	画笔笔尖图示	说明文字
	直径:9 像素,角度:0度,圆度:100%,硬度:100%,间距:25%		直径:9 像素,角度:0度,圆度:100%,硬度:100%,间距:150%
	直径:9 像素,角度:0度,圆度:100%,硬度:0%,间距:150%		直径:9 像素,角度:70度,圆度:60%,硬度:100%,间距:150%
	直径:19 像素,渐隐:1,大小抖动:0%,最小直径:0%		渐隐:1,大小抖动:0%,最小直径:10%
	渐隐:20,大小抖动:0%,最小直径:10%		渐隐:100,小抖动,大小抖动:22%,最小直径:0%

3.形状动态

通过"形状动态"设置项可以设置画笔笔刷的大小、圆度和角度等的动态变化,设置的效果即可在底部的预览图显示。以下即为"形状动态"设置调板各项的简要说明。

·最小直径:用来设置画笔在变动时的最小画笔直径,变化范围为 0% ～100%。

·角度抖动:在原有的画笔直径上设置画笔变动大小的比例,数值越大,画笔将产生越大的变化,变化范围为 0% ～100%。

·控制:该设置项用来设置画笔直径的淡化方式,其中"关"用于关闭画笔直径的淡化效果,画笔将一直维持同样的大小。"渐隐"用于设置步骤数值。而"钢笔压力"、"钢笔斜度"和"光笔轮"这 3 个选项都是配合外接的光电笔和喷枪等绘画工具使用的,由绘图工具所受的压力或是移动速度来设置画笔的淡化距离。

·圆度抖动:设置画笔在绘制线条的过程中标记点圆度的动态变化状况,圆角抖动的百分比数值是以画笔横轴和纵轴的比例为基础的,变化范围为 0% ～100%。

4. 散布

散布画笔可以产生类似毛边的笔画效果，它主要是用来确定绘制线条中画笔标记点的数量和位置。以下即为"散布"设置调板各项的简要说明。

·散布：该项是设置扩展画笔与实际笔触之间的距离，数值越大则画笔的扩散距离越大，变化范围在 0%~1000% 之间。当勾选"两轴"项时，画笔的标点呈放射状分布(如图 7-2 所示)；反之，则标记点的分布与画笔绘制线条的方向垂直(如图 7-3 所示)。

图 7-2   图 7-3

·控制：可以设置"关"、"渐隐"、"钢笔压力"、"钢笔斜度"、"光笔轮"、"旋转"。

·数量：用来设置每个空间间隔中画笔标记点的数量，变化范围为 1~16。

·数量抖动：用来设置每个空间间隔中画笔标记点数量的变化，变化范围为 0%~100%。

5.纹理

"纹理"设置项调板为用户提供了众多的纹理图案，还允许用户载入所需的其他纹理图案。以下即为"纹理"设置调板的各项说明。

·反相：勾选该项，可使纹理图案产生与原图案相反的效果。

·缩放：用来指定图案的缩放比例变化范围在 0%~1000% 之间。

·为每个笔尖设置纹理：勾选该项，则纹理将套用到画笔的所有属性上；若不勾选该项，则不能激活"最小深度"和"深度抖动"项。

·模式：用来设置画笔纹理的图案模式，包括"正片叠底"、"减去"、"变暗"、"叠加"、"颜色减淡"、"颜色加深"、"线性加深"、"实色混合"等。

·深度：用来设置画笔渗透到图案的深度。数值越低则纹理被刻画得越明显，变化范围在 0%~100%。

·控制：可以设置"关"、"渐隐"、"钢笔压力"、"钢笔斜度"、"光笔轮"、"旋转"。

·最小深度：勾选"为每个笔尖设置纹理"项后，即可定义画笔渗透图案的最小深度变化范围 0%~100%。

·深度抖动：勾选"为每个笔尖设置纹理"项后，即可定义画笔渗透图案的深度变化范围 0%~100%。

6.双重画笔

双重画笔是通过将 2 个画笔形状结合起来，创建出一种新的画笔。在"模式"下拉列表框中可以选择第 1 个画笔与第 2 个画笔的混合方式，然后在画笔笔尖预览框中选取目标笔尖，即可完成双重画笔的设置。以下即为"双重画笔"设置调板各项的简要说明。

·模式：选择第 1 个画笔与第 2 个画笔间的图案模式。

·直径：该项是用来控制第 2 个画笔的直径。拖动"直径"上的滑块或在数值框中输入数值即可更改画笔的直径。若想恢复到原先画笔大小，单击"使用取样大小"按钮即可变化，范围在 1~2500px 之间。

·间距：用来设置第 2 个画笔在所绘制笔触中标记点之间的距离，变化范围 1%~1000%。

·散布：用来设置第 2 个画笔在所绘制笔触中的分布情况。当勾选"双轴"项时，画笔标记点呈放射状分布；反之，画笔标记点分布与画笔绘制笔触方向垂直，变化范围 0%~1000%。

·数量：用来设置每个空间间隔中第 2 个画笔标记点的数量，数值越大则画笔数量越多，变化范围 1~16。

7.颜色动态

"颜色动态"用来设置在绘制笔触的过程中颜色的动态变化情况，以设置调板。以下即为"颜色动态"设置调板各项的简要说明。

·前景,背景抖动:设置绘制笔触在前景色和背景色之间的动态变化,变化范围为
0% ~ 100%。

·色相抖动:设置画笔绘制笔触的色相动态变化范围,变化范围为 0% ~ 100%。

·饱和度抖动:用来定义颜色的纯度,变化范围为 0% ~ 100%。

·亮度抖动:设置画笔笔触亮度的动态变化范围,变化范围为 0%~100%。

·纯度:设置颜色偏向或偏离的中轴,变化范围为 −100% ~ +100%。

8.其他动态

"其他动态"项用来设置绘制笔触的"不透明度抖动"(变化范围为 0% ~ 100%)和"流量抖动"(变化范围为 0% ~ 100%)动态变化情况。通过这两个选项,可令笔触具有中国古典水墨画的艺术效果。

9.其他选项

除了上述各综合设置项外。在画笔调板"其他动态"设置项下面还有 5 个单独的设置项,以下即为这些设置项的简要说明。

·杂色:给画笔添加随机出现的效果,对于软边的画笔效果尤其明显。

·湿边:给画笔添加水彩画笔触效果。

·喷枪:可令画笔模拟出传统喷枪的雾状效果。

·平滑:可使绘制的笔触产生更流畅的曲线,该选项对于利用画板来绘图非常有效,不过缺点就是会减缓绘画速度。

·保护纹理:对所有画笔选择相同的纹理图案和缩放比例。选择该项后,当使用多个画笔时,可模拟一致的画笔纹理效果。

7.1.2 画笔的基本设置

在了解了画笔调板的结构与各选项的功能后,我们就可以通过画笔调板来定义画笔、保存和删除画笔、替换和复位画笔、重命名画笔等操作。

1.预设画笔样式

在画笔调板中单击"画笔预设"选项卡进入画笔预设项。画笔预设项中列出了多种形状、粗细不一的笔刷样式,用户可以通过拖动"主直径"选项下的滑块或在其右侧的数值框中输入数值来精确设置画笔笔刷的直径。

2.定义画笔

除了新建画笔外,Photoshop CS3 还提供了更为灵活的自定义画笔功能,用户可以随心所欲地将那些经典、漂亮的图片也定义成画笔。具体操作步骤如下:

01 打开红花图像,并创建所需的选区范围(如图 7-4 所示)▶▶选择【编辑→定义画笔预设】命令
▶▶在打开的"画笔名称"对话框输入画笔名称,如图 7-5 所示。

图 7-4   图 7-5

02 单击"确定"按钮,这时在画笔调板中就会出现刚才定义的新画笔的缩略图,如图 7-6 所示。

03 选择画笔工具,单击画笔调板中自定义的图案,然后在图像中涂抹,即可将自定义图案应用画笔调板中就会出现刚才定义的新画笔的缩略图,如图 7-7 所示。

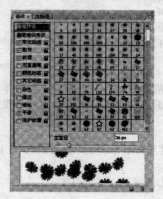

图 7-6

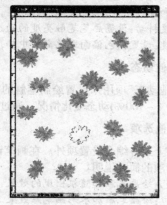

图 7-7

3.存储画笔

新建的画笔样式被放置在画笔调板中,可是一旦重新安装 Photoshop CS3 程序,用户辛辛苦苦创建的画笔就会消失。为了留住自己的劳动成果,用户可以将整个画笔调板设置保存起来。具体操作步骤如下:

01 单击画笔调板右上角的 ▶ 按钮,打开调板菜单▶▶选取"存储画笔"命令,在激活的"存储"对话框中输入名称,并选取存储路径,如图 7-8 所示。

02 单击"保存"按钮,即可以 *.ABR 文件格式保存所有画笔。

图 7-8

4.载入画笔

当重新安装 Photoshop CS3 程序后,这时就可以载入那些保存的自定义画笔设置。另外也可以载入一些 Photoshop 所提供的画笔样式。选择画笔调板菜单中的"载入画笔"命令。在激活的"载入"对话框中选取目标画笔文件,单击"载入"按钮即可,如图 7-9 所示。

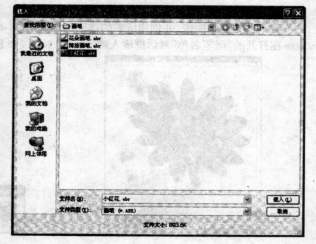

图 7-9

5.删除画笔

如果存储的画笔过多,并且一些画笔的用处已经不是太大,这时可以删除保存的画笔,以减小所占的磁盘空间。删除画笔操作步骤如下:

01 在画笔调板中选取目标画笔▶▶单击画笔调板右下角的"删除画笔"按纽 。

02 在激活的"要删除画笔吗?"询问框中单击"确定"按钮即可,如图 7-10 所示。

6.复位画笔

与 Photoshop CS3 的首选项设置相同,对画笔调板各项设置也可以恢复到系统默认状态。选择画笔调板菜单中的"复位画笔"命令,在激活的"要用默认画笔替换当前画笔吗?"询问框中,单击"确定"按钮即可完全恢复默认画笔,如图 7-11 所示。

图 7-10

图 7-11

7.1.3 创建画笔样式

通过画笔调板,用户可以把一些常用的、经过改动的画笔定义为一个新画笔,在下一次使用时,可直接调用而无需重新设置。创建画笔步骤如下:

01 选取画笔工具▶▶激活画笔调板▶▶在调板中选取所需项并进行各项的设置。

02 单击画笔调板右下角的"新建画笔"按钮 ,在激活的"画笔名称"对话框中输入新画笔名称▶▶单击"确定"按钮,即可将经过重新设置的画笔定义为一个新画笔并保存到画笔调板中。

7.2 绘画类工具

Photoshop CS3 的绘画类工具由画笔工具 、铅笔工具 和颜色替换工具 所组成,其中画笔工具常用于给线条图案进行上色,铅笔工具常用于给边缘较硬的线条图案上色,而颜色替换工具最适合给黑白图像上色。

7.2.1 画笔工具

1.了解画笔工具栏

选择画笔工具 ,即可激活画笔选项工具栏(如图 7-12 所示)。按下画笔选项工具栏右侧的"喷枪"按钮 ,可模拟出传统的喷枪手法,将颜色雾状地喷射到图像上。因此喷枪选项最适合绘制物体的阴影、颜色过渡区等界线较模糊的区域。

以下为画笔工具栏各项的简要说明。

·画笔:该项用来确定画笔形状。单击其右边的 按钮,弹出画笔预设调板,该调板与画笔调板的结构相似。通过该调板可以选择不同形状、不同大小的笔刷。

·模式:在"模式"下拉列表框中可以选择所需的混合模式菜单,其具体功能与图层混合模式的

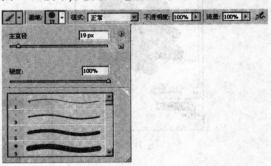

图 7-12

功能基本相同。

·不透明度：利用"不透明度"下拉列表框可以设置画笔的不透明程度，在其后的文本框中输入数值，或单击旁边的下三角按钮，打开标尺，通过拖动标尺上的不透明度滑块进行调节。

·流量：利用"流量"下拉列表框可设置绘图颜色的浓度比率。在"流量"下拉列表框中输入 1～100 的整数，或者单击下拉列表框右侧的小三角按钮，在打开的下拉列表设置框中用鼠标拖动滑块即可进行调整。浓度值越小，颜色越浅。当浓度值取 100% 时，颜色的各像素参数就是调色板中设置的数值。

2.给黑白图像上色

画笔工具常用来绘制线条、为图像上色和润色等操作。另外，如果结合图层混合模式，我们仅需用画笔工具就制作出与用颜色替换工具为图像上色的同等效果。下面我们将利用画笔工具、填充图层给图 7-13 所示的花朵上色。

01 双击前景色按钮，在打开的"拾色器"对话框中设置前景色颜色为 R:88、G:54、B:130 的紫色 ▶▶单击图层调板中的"创建新图层"按钮，为花朵图像创建"图层 1"▶▶并设置其图层混合模式为"叠加"，如图 7-14 所示。

图 7-13

图 7-14

02 单击背景图层，用钢笔工具创建花朵选区▶▶选择画笔工具，在"图层 1"上进行涂抹，即可为花朵上色。上色效果如图 7-15 所示。

03 双击前景色按钮，在打开的"拾色器"对话框中设置前景色颜色为 R:76、G:129、B:77 的绿色。单击图层调板中的"创建新图层"按钮，创建"图层 2"，同样设置该图层混合模式为"叠加"▶▶用钢笔工具创建花枝选区，然后用画笔工具在"图层 2"上涂抹，为其上色。花朵的最终上色效果如图 7-16 所示。

图 7-15

图 7-16

7.2.2 铅笔工具

铅笔工具画出的线条是硬的、有棱角的,铅笔与画笔工具的操作与设置几乎相同。其工具栏与画笔工具栏也基本相同,只是多了个"自动抹除"设置项。"自动抹除"项是铅笔工具特有的功能。勾选该项后,当图像的颜色与前景色相同时,铅笔工具会自动抹除前景色而填入背景颜色。而当图像的颜色与背景色相同时,则会自动抹掉背景色而填入前景色。

7.2.3 颜色替换工具

颜色替换工具 主要用于更改图像目标区域的颜色,也常用于将一幅黑白图像变成彩色图像。利用画笔工具也可以做到,还不会损坏原图像,不过画笔工具没有该工具简单。颜色替换工具在位图、索引颜色、多通道色彩模式下无效。下面我们就利用颜色替换工具为图 7-17 所示的黑白图片上色,将其变为彩色相片。具体操作步骤如下:

01 为了更方便地给图像上色,我们先用钢笔工具或者套索工具在梦露头发上绘制出一个略为精细的范围选区,如图 7-18 所示。

图 7-17   图 7-18

02 双击前景色按钮▶▶在打开的"拾色器"对话框中设置前景色颜色为 R.194、G:164、B:91 的金黄色。

03 选取颜色替换工具 ▶▶在工具栏中设置画笔直径、硬度和间距等项▶▶在"模式"下拉列表框中选取"颜色"项▶▶然后用颜色替换工具对头发选区上进行涂抹,即可为颜色上色,如图 7-19 所示。

04 再用钢笔工具或者套索工具为梦露的脸、手等四肢上创建一个选区▶▶双击前景色按钮,在打开的"拾色器"对话框中设置前景色为 R:255、G:220、B:169 的颜色▶▶用颜色替换工具在选区上进行涂抹,即可为身体上色,如图 7-20 所示。

图 7-19   图 7-20

_05_ 用钢笔工具为梦露的裙子创建一个选区▶▶通过"拾色器"对话框中设置前景色为 R：158、G：110、B：160▶▶用颜色替换工具在选区上进行涂抹，即可为裙子上色，如图 7-21 所示。

_06_ 钢笔工具为梦露的嘴唇、眉手创建选区▶▶再通过"拾色器"对话框中设置前景色分别为 R.233、G：102、B：81 和 R：187、G：135、B：95▶▶在用颜色替换工具为嘴唇、眉毛上色。玛丽·梦露的黑白图像转变为彩色图像，并添加风景背景。最终效果如图 7-22 所示。

图 7-21

图 7-22

7.3　修复画笔类工具

污点修复画笔工具 、修复画笔工具 、修补工具 和红眼工具同图章工具的功能相似，主要用于修复瑕疵、掩盖不需要的部分，只不过修补工具更加智能化、傻瓜化。

7.3.1　污点修复画笔工具

1.了解污点修复画笔工具

污点修复画笔工具 可以迅速修复图像存在的瑕疵或污点。其工作原理与修复画笔类似，即从图像或图案中提取样本像素来涂改需要修复的地方，使需要修改的地方与样本像素在纹理、亮度和透明度上保持一致，从而达到用样本像素遮盖需要修复的地方的目的。选取污点修复画笔工具 ，在其工具栏(如图 7-23 所示)中设置所需项，即可以修复图像。

图 7-23

以下为污点修复画笔工具栏各项的简要说明。

·画笔：设置修复画笔的直径、硬度和间距。注意所选画笔最好要比需要修复的区域稍大一些为佳。

·模式：在其下拉菜单中可以选择多种混合模式。

·近似匹配：以选区边缘的像素为参照来寻找一个图像区域，将这个图像区域作为被选区域的补丁。如果这种选项没有达到满意的修复效果，则可以撤销此次修复，然后选择"创建纹理"项。

·创建纹理：用选区的所有像素来创建一种纹理，并用这种纹理来修复有污点的地方。如果这种纹理不起作用，那么试着再次拖移有污点的地方。

·对所有图层取样：勾选该项，可以从所有的可见图层中提取数据。取消选中，则只能从被选取的图层中提取数据。

2.修复污点图像

利用污点修复画笔工具可以很容易地修复图像的小面积的污点。下面我们将利用污点修复画笔工具来修复名模辛迪·克劳馥脸上的痣(如图 7-24 所示)，具体操作步骤如下：

01 打开一幅辛迪·克劳馥的图像▶▶选取污点修复画笔工具，在其工具栏"模式"下拉列表框中选取"正常"项。

02 用污点修复画笔工具在辛迪·克劳馥脸上的痣上反复涂抹，该痣即可无痕迹地被清除，如图 7-25 所示。

图 7-24

图 7-25

7.3.2 修复画笔工具

修复画笔工具 与图章工具类似，都是以点为主要修复区域的工具。选取修复画笔工具，按住【Alt】键定义一个源，然后移动光标到目标区，经过略微延迟之后(Photoshop CS3 经过了一系列的比较，保留了目标区域的色调和明暗对比，并将原区域的部分色调和纹理混合进来)，修复画笔工具将笔刷经过的区域自动修复。

7.3.3 修补工具

1.了解修补工具

修补工具 的土作原理与图章和修复画笔工具相似，只不过其是以面为主要修复区域的工具，并且效率更高，可对图像中瑕疵区域进行成片的面修复。

在修补工具栏中，如果选取"源"项，可以将当前存在瑕疵选区(源)移至其他区域(目标)上，即可以用目标区域中的图像来修复源区域中的瑕疵；若选取"目标"项，则可以用当前区域中的图像来修复存在瑕疵的目标区域，如图 7-26 所示。

图 7-26

2.用修补工具去除多余的图像

下面，我们将利用修补工具不留痕迹地抹除图 7-27 中的所有文字，操作步骤如下：

01 选取矩形工具,在图像文字区域上绘制一个矩形选区(如图 7-28 所示)▶▶选取修补工具,并单击工具栏中的"源"项。

图 7-27   图 7-28

02 用修补工具移动矩形选区至目标区域上,Photoshop CS3 经过十几秒的分析、比较之后即可用目标区域的图像覆盖源区域中的图像,如图 7-29 所示。

以相同的操作步骤对其他文字区域进行修补,如果还有较为明显的痕迹,还可以纵向进行修补,最终的修补效果如图 7-30 所示。

图 7-29   图 7-30

7.3.4 红眼画笔工具

为解决相片中因闪光灯所造成人眼得"红眼病"的现象,Photoshop cs3 特地推出了解决该问题的红眼工具。其"瞳孔大小"项即为调节瞳孔的大小,而"变暗量"项则是调节瞳孔的黑度。选取红眼画笔工具,单击图像中的红眼区域,即可将红眼病治好。

7.4   图章工具

图章修复工具是 Photoshop cs3 中极为重要的工具,它有仿制图章工具 和图案图章工具 。图章工具的主要功能就是修复含有瑕疵的图片,去掉图像中那些不想要但又不好直接删除的部分,而图案图章工具则为选取的图案进行涂抹。

7.4.1 仿制图章工具

仿制图章工具首先将图像区域中的某一点定义为取样点,然后将设置好的笔刷样式像盖图章一样地将取样点区域的图像像素复制到其他区域或另一个图像窗口中,十字线标记指示的为原始取样点。仿制图章工具多用于修复、掩盖图像中呈点状分布的瑕疵区域。

1.了解仿制图章工具

选取仿制图章工具 ,即可激活其工具栏。仿制图章工具栏与画笔工具栏大体相同,不同的有"对齐"和"对所有图层取样"2 个选项。以下即为该项的简要说明。

·对齐:勾选该项,不管用户停笔后再画几次,每次复制都间断其连续性,这样比较适合于用多种画笔修复一张图像。取消该项,则每次停笔再画时,都从原先的起画点开始,这样比较适合于多次修复同一张图像。

·对所有图层取样:勾选该项,表示可以从所有可见图层中取样图像。不勾选,表示只从当前函层中取样。

2.修复旧画像

下面我们将利用仿制图章工具来修复有瑕疵的 Photoshop CS3"样本"文件夹中的"旧画像"图像,具体操作方法如下:

01 打开 Photoshop CS3"样本"文件夹中的"旧画像"图像(如图 7-31 所示)。选择仿制图章工具 在其工具栏中设置画笔样式、模式等项。

02 按住【Alt】键,将光标(光标呈 ⊕状)放置在图像的目标取样点上并单击鼠标▶▶释放【Alt】键,在目标位置用鼠标涂抹▶▶经过多次的修复和颜色调整,"旧画像"的最终修复效果如图 7-32 所示。

图 7-31

图 7-32

7.4.2 图案图章工具

利用图案图章工具用户可以直接从图案库中选择图案来进行绘画,或者将选区内的图像定义为一个图案,然后将这个选择区域作为图案来绘画。

1.图案图章工具

图案图章工具栏包括画笔、模式、不透明度、流量、图案、对齐、印象派效果等设置选项,如图 7-33所示。

图 7-33

以下即为图案图章工具栏的"图案"和"印象派效果"项的简要说明。

·图案:单击图案预览框按钮,用户可以打开图案调板,在该调板上,可以选择理想的图案,还可通过单击按钮,打开编辑菜单(用法与画笔调板上的菜单基本相同)。

·印象派效果:勾选该项,则对绘画选取的图像产生模糊、朦胧化的印象派效果。

2.定义图案

在使用图案图章工具 前,先来讲解与图案图章工具联系紧密的"定义图案"命令,定义图案与定义画笔的原理与操作基本相同,下面我们将定义图案命令,将图 7-34 所示的吉祥图案定义为图案图章工具的图案。操作步骤如下:

01 在吉祥图案上用矩形选框工具绘制一个矩形选区▶▶选择【编辑→定义图案】命令▶▶在打开的"图案名称"对话框中输入该图案名称,例如"中国古代吉祥图案"。

02 单击"确定"按钮▶▶即可将选区内的图像添加至图案列表中,如图 7-35 所示。

图 7-34

图 7-35

3.填充图案

现在我们就利用图案图章工具为图 7-36 所示的图像添加自定义的图案背景。

01 单击图层调板中的渤建新图层按钮,创建位于文字图层下的"图层 1"▶▶选择图案图章工具 ,然后在其工具栏上设置画笔、模式等选项。

02 在"图案"下拉列表框中选取自定的"中国古代吉祥图案"项▶▶鼠标在"图层 1"中任意涂抹,自定义的吉祥图案即可被复制到当前文档中,如图 7-37 所示。

图 7-36

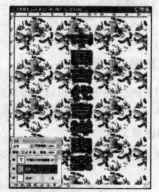

图 7-37

7.5 历史记录画笔工具

用画笔、铅笔和图案图章等工具在图像上涂抹时,难免会出现错误。虽然通过命令、历史记录调板可以使图像还原,但这些均是还原的操作步骤。很多时候,我们仅想恢复图像中的某一点,这时利用历史记录画笔工具可以很容易地达到这一要求。

7.5.1 历史记录画笔工具

1.历史记录画笔的工作原理

无论是用画笔、铅笔、图案图章等工具在图像上涂抹，还是通过填充、描边命令在图像上填充颜色，利用历史记录画笔工具可以轻松地让该图像上的面、线、点区域还原到从前，形成类似图层蒙版的效果。

2.还原图像

下面我们先用填充命令给图 7-38 所示的图像进行图案填充，然后再用历史记录画笔工具使其部分画面还原。

01 选择【编辑→填充】命令，在打开的"填充"对话框中选择自定图案，如图 7-39 所示。

02 单击"确定"按钮，即可为风景图像填充自定图案(如图 7-40 所示)▶▶选择历史记录画笔工具▶，并设置"模式"、"不透明度"和"流量"项▶▶然后用历史记录画笔工具在风景图像上涂抹，该风景的原始面目就会逐渐显露出来，如图 7-41 所示。

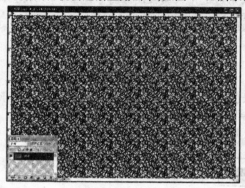

图 7-40

图 7-41

7.5.2 历史记录艺术画笔

历史记录艺术画笔工具可以使用指定的历史记录状态或快照中的源数据，以风格化描边进行绘画。通过尝试使用不同的绘画样式(如绷紧、松散等)、大小和容差选项，可以甩不同的色彩和风格模拟出类似水粉画的艺术效果。

7.6 橡皮擦工具

橡皮擦工具主要用来擦除画面中的颜色(也就是用背景色或透明区域来替换颜色)。该工具组包括橡皮擦、背景橡皮擦、魔术橡皮擦 3 种。

7.6.1 橡皮擦工具

1.了解橡皮擦工具

橡皮擦工具主要用于擦除图像中的颜色，并在擦除的位置填充背景色。选取橡皮擦工具 ，激活橡皮擦工具栏，其包括画笔、模式、不透明度、流量、喷枪、抹到历史记录等选项，如图 7-42 所示。

图 7-42

以下即为橡皮擦工具栏各项的简要说明。

·画笔：用来设置橡皮擦的大小。

·模式：指擦除方式，包括画笔、铅笔、块。其效果类似于用这些工具绘制图像。

·抹到历史记录：选取该项时，橡皮擦工具就具有历史画笔的功能。

2.擦除图像

选取橡皮擦工具 ，在图像上涂抹，图像颜色即可被擦除。当作用于背景图层时，被擦除区域则以背景色填充；当作用于普通图层时，擦除区域则显示为透明。

名师点拨：

如果用户在擦除图像时不小心擦除了本应保留的区域，除了选择【编辑→后退一步】命令(组合键【Alt+ctrl+z】)、【文件→恢复】命令(或按【F12】键)或用历史记录调板还原图像外，还可以按住【Alt】、键，用橡皮擦工具在图像上，涂抹，即可恢复被擦除的区域。

7.6.2 背景橡皮擦工具

使用背景橡皮擦工具 可以将图层中与取样背景色相近的像素擦除，使其成为透明区域，其擦除功能非常灵活。背景橡皮擦工具栏包括画笔、取样、限制、容差和保护前景色等设置，如图 7-43 所示。

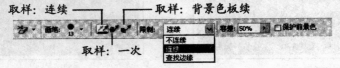

图 7-43

背景橡皮擦选项工具栏的简要说明如下。

·取样：在取样框中可以进行连续或一次背景色板的选择。

·限制：该项用来设置擦除的方式，它包括不连续、连续和查找边缘 3 项。

·容差：指擦除颜色时允许的范围。数值越低，擦除的范围越接连取样色。大的容差值会把其他颜色擦成半透明。

·保护前景色：选取该项后，前景色不会被擦除。

7.6.3 魔术橡皮工具

魔术橡皮擦工具 的工作原理与魔棒工具极为相似，可以自动擦除当前图层中与选取颜色相近的像素。魔术橡皮擦工具栏包括容差、消除锯齿、连续、对所有图层取样、不透明度等设置选项，如图 7-44 所示。

图 7-44

以下即为魔术橡皮擦工具栏的简要说明。

·消除锯齿:勾选该项可以使擦除边界平滑。

·连续:勾选该项,则擦除仅与单击处相邻的并在容差范围内的颜色;若不勾选该项,则擦除图像中所有符合容差范围内的颜色。

7.7　像素处理工具

像素处理工具包括模糊、锐化和涂抹等工具。其中模糊工具 ◖ 和锐化工具 △ 主要是对图像进行调焦处理。模糊工具原理就是通过降低图像相邻像素之间的反差,使图像的边缘或图像的局部变得柔和;锐化工具则是通过增大图像相邻像素之间的对比度,使图像的边缘或图像的局部变得更加清晰;涂抹工具 ◢ 渊类似模拟在未干的画面上用手指来回随意涂抹而产生的效果。

7.7.1　模糊工具

模糊工具和锐化工具栏的各设置选项完全相同,都包括画笔、模式、强度、对所有图层取样等项(如图 7-45 所示),其中"强度"项主要是设置涂抹、模糊、锐化和海绵工具应用的描边强度。选择模糊工具,在目标图像上涂抹,即可对图像产生模糊的效果。

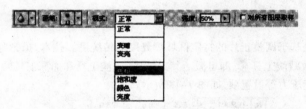

图 7-45

7.7.2　锐化工具

用锐化工具在图像上涂抹,即可对像素产生锐化的效果。图 7-46 所示即为利用模糊、锐化工具编辑图像像素前后的效果。

图 7-46

7.7.3　涂抹工具

涂抹工具与模糊、锐化工具的工具栏基本相同,只是多了"手指绘画"项。勾选该项,则可以用前景色来涂抹图像;反之,涂抹的是光标移动处的颜色,如图 7-47 所示。

图 7-47

7.8　颜色处理工具

颜色处理工具主要用于对图像局部的色彩进行修饰,其中减淡和加深工具用来加亮或变暗图像区域,而海绵工具则是用来调整图像的色彩饱和度。

7.8.1　减淡工具

减淡工具的原理是基于调整正片的特定区域曝光度的传统摄影技术,摄影师阻挡光线以使正片上的区域变亮(减淡)。选取减淡工具 ![icon]即可激活其工具栏。减淡工具和加深工具的工具栏相同,均包括画笔、范围、曝光度和画笔压力等设置项,如图 7-48 所示。

图 7-48

以下即为其工具栏重点选项的简要说明。

·阴影:选取该项,加深作用于图像暗部区域像素。

·中间调:选取该项,加深作用于图像中灰色的中间范围。

·高光:选取该项,加深作用于图像亮部区域像素。

·曝光度：指减淡或加深工具所使用的画笔在涂抹过程中的颜色深浅度。其参数设置值为 1% ~ 100%。

7.8.2　加深工具

加深工具的原理也是基于调整正片的特定区域曝光度的传统摄影技术,摄影师增加曝广度以使正片上的区域变暗(加深)。图 7-49 所示即为用减淡工具、加深工具涂抹图像的效果。

图 7-49

7.8.3　海绵工具

　　利用海绵工具可以很细致地改变图像中某一区域的色彩饱和度。选取海绵工具  ,工具栏(如图
7-50 所示)主要有画笔、模式(加色、去色)、流量等设置项。

图 7-50

　　以下为海绵工具栏中"模式"项的简要说明。

　　·去色:选取该项,可降低图像颜色的饱和度,使图像中灰度色调增加。当对"灰度"模式图像进行处
理时,则会增加中间灰度色调颜色。

　　·加色:选取该项,可增加图像颜色的饱和度,使图像中灰度色调减少。当对"灰度"模式图像进行处
理时,则会减少中间灰度色调颜色。

　　图 7-51 所示即为利用海绵工具对"草帽"进行去色与加色的最终效果。

图 7-51

7.9　渐变工具

　　渐变和油漆桶工具都是对图像选取区域进行颜色或图案的填充,但是填充方式不同。

7.9.1　渐变工具

1.了解渐变工具

　　渐变工具也可以称为是渐变填充工具,利用渐变工具可以绘制出从一种颜色过渡到另一种颜色的
连续色调效果。选择渐变工具 ■ 后,在绘图区中单击鼠标以确定渐变起点位置,并拖动鼠标拉出线段
的长度和方向,渐变效果即可产生。用户可在工具栏中进行颜色编辑、填充形式、模式、不透明度、反向、
仿色、透明区域等选项的设置,如图 7-52 所示。

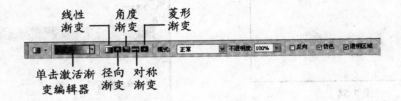

图 7-52

以下即为渐变工具栏中各项的简要说明。

·线性渐变:从起点到终点做直线式渐变。

·径向渐变:从起点到终点做放射式渐变。

·角度渐变:从起点到终点做逆时针渐变。

·对称渐变:从起点到终点做对称性直线渐变。

·菱形渐变:从起点到终点做菱形图样渐变。

·反向:勾选该项,可改变渐变的颜色方向。

·仿色:勾选该项,渐变的颜色过渡更平滑。

·透明区域:勾选该项,不透明度的设定才会生效。

单击选项工具栏中的颜色框  即可打开"渐变编辑器"对话框(如图 7-53 所示)。通过"渐变编辑器"对话框,用户可以创建丰富的渐变效果。以下为"渐变编辑器"对话框中主要项的简要说明。

·不透明度控制点:用户可在这些位置单击渐变轴,以创建更多的不透明度控制点。当选择某个不透明度控制点后,用户可在激活的"不透明度"。数值框中输入所需的不透明度值,或拖动该控制点以改变其位置,或单击"删除"按钮将其删除。

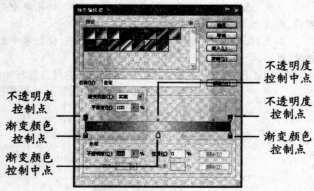

图 7-53

·颜色控制点:位于渐变轴的下方,其编辑方式与不透明度控制点基本相同。

2.绘制绿苹果

绘制立体图像虽然不是 Photoshop CS3 的分内工作,但利用渐变工具却可以很容易地绘制出二维的球体、圆柱体和圆锥体。下面我们将利用渐变工具来绘制几只绿色的苹果。

01 在新建的文档中单击图层调板中的"创建新图层"按钮,创建"图层 1"▶▶选取椭圆选框工具,按住组合键【Shift+Alt】,在图像中绘制一正圆选区,如图 7-54 所示。

02 选取渐变工具,并按下渐变工具栏中的"径向渐变"按钮▶▶然后在"渐变编辑器"中进行图 7-55 所示的绿色渐变设置。

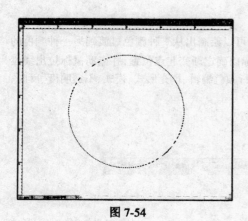

图 7-54

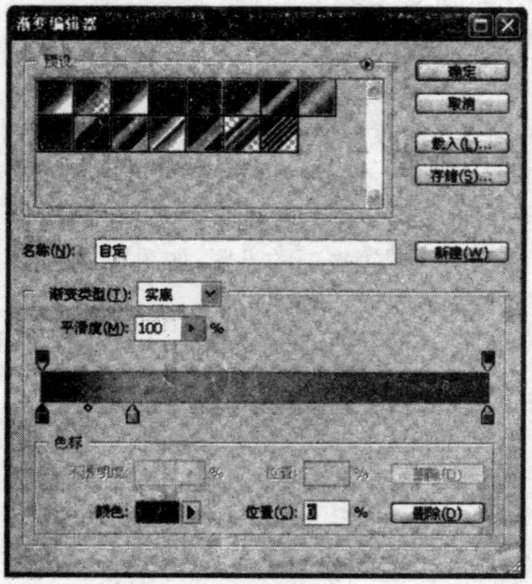

图 7-55

_**03**_ 鼠标在正圆选区的左上角上单击，然后向右下方拖动(如图 7-56 所示)，即可得到图 7-57 所示的绿苹果。

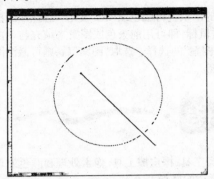

图 7-56

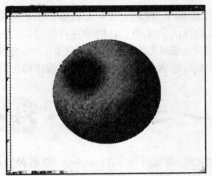

图 7-57

_**04**_ 设置前景色为 R:67、G:10、B:10，背景色为 R:34、G:71、B:3▶▶选择画笔工具，在画笔调板中进行图 7-58 和图 7-59 所示的参数设置。

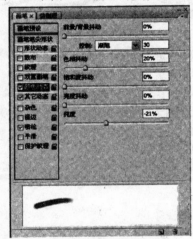

图 7-58

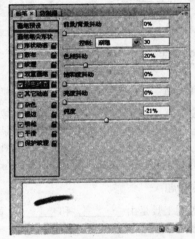

图 7-59

_**05**_ 创建"图层 2"，然后用画笔工具以适当的直径在该图层中绘制出苹果的把(如图 7-60 所示)。再选择"图层 1"，并激活正圆选区▶▶然后用加深工具、减淡工具和海绵工具为苹果添加上阴影和高光，如图 7-61 所示。

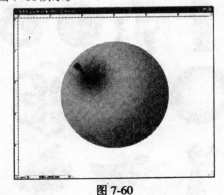

图 7-60

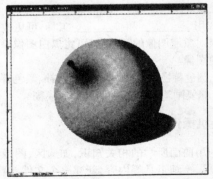

图 7-61

7.9.2 油漆桶工具

油漆桶工具 主要是为鼠标单击处色彩相近或相连的区域进行颜色或图案填充。选择油漆桶工具,在激活的油漆桶工具栏中进行设置后,在绘图区中单击鼠标,即可用前景色或图案来填充与单击处颜色相近的区域。在该选项下拉菜单中,可进行"前景"或"图案"的选择。选取"图案"后,则可激活图案样式列表,选取目标图案后即可用油漆桶工具进行图案填充。

本章详细地介绍了 Photoshop cs3 各种绘画工具、图章类工具、橡皮擦工具、像素处理和颜色处理工具的使用及其特点。这些工具都是以后绘制、编辑图像时常用的好帮手。

一、理论测试

1.填空题

(1)_____ 工具可填充颜色与被点击像素相邻像素,但不能用于位图模式的图像。

(2)_____ 工具可以使用指定历史记录状态或快照中的源数据,以风格化描边进行绘画。

(3)_____ 和 _____ 工具,可以将图像区域涂抹成透明或者背景色。

(4)通过 _____ 工具可将选区中的像素用其他区域的像素或图案来修补。

2.选择题

(1)色调工具是由 _____ 和 _____ 两种工具组成。

A.修补、加深　　　B.减淡、海绵

C.加深、减淡　　　D.仿制图章、图案图章

(2)通过使用 _____ 工具,可以精确更改区域的图像色彩饱和度。

A.颜色替换工具　　　B.修补工具

C.修复画笔工具　　　D.海绵工具

(3)用 _____ 和 _____ 工具,可更改图像中某对象或图像的颜色,又可将黑白图像涂抹成彩色图像。

A.颜色替换、修复画笔　　　B.修补、颜色替换

C.修复画笔、涂抹　　　D.,减淡、模糊

二、上机操作

利用前面所学的相关知识,如选区、图像编辑、图层、绘画工具等内容,新建一个文件,绘制如图 7-62 所示的几何图形效果。

图 7-62

第8章　图层的基本应用

本章导读：

图层可以说是 Photoshop 程序中最重要的组成部分，正因为有了图层，才使得 Photoshop 具有强大的图像效果处理与艺术加工的功能。

本章较为详细的介绍了图层的调板、创建新图层、编辑图层、合并图层和图层混合模式等内容。

技能提要：

了解图层调板
创建图层、复制图层、删除图层。
图层的不透明度、调整图层顺序。
合并图层、图层的排列与分布。
图层混合模式。

8.1　图层控制调板

图层可以说是 Photoshop 程序中最重要的组成部分。通过图层，可以设定图像的合成效果，或者编辑一些特殊的图层特效来丰富图像。总之，有了图层，不仅使设计工作更加方便，还可令我们在无限广阔的想象中领略图像处理的乐趣。

8.1.1　图层的概念

Photoshop 中的"图层"就好像是一张张叠加在一起的透明玻璃板，可以分别在每张玻璃板上画图。对所画的图有什么地方不满意，可以随时进行擦除、遮盖、修改，而不会影响到其他玻璃板上的图像。这种构造就是 Photoshop 图层的基本原理，这也是在计算机图形软件中画图与用手在纸上画图的最大区别。当然，在 Photoshop 的"图层"上画图要远比在几张玻璃板上画图来得方便。一个文档中的所有图层都具有相同的分辨率、相同的通道数以及相同的图像模式（例如，RGB、CMYK 或灰度模式）。当图像中存在多个图层时，那么所有的颜色调整、绘图、滤镜、变换等操作都只针对当前图层，而不是整个图像。

8.1.2　图层调板

图层调板是编辑、管理图层的最佳工具，选择【窗口→图层】命令，即可激活图层调板（如图 8-1 所示）。在图层调板中，用户可以完成新建图层、隐藏和显示图层、复制和删除图层、更改图层顺序等图层的绝大部分操作。

图层调板中的每一行代表一个图层，最下面的为

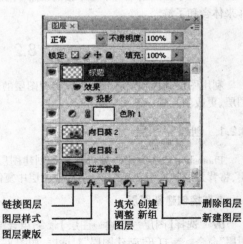

链接图层
图层样式
图层蒙版
填充调整图层
创建新组
删除图层
新建图层

图 8-1

背景图层。在一个图像中可以有也可以没有背景图层。图层中间的文字为图层的名称,名称左侧的小图像为图层中图像的缩略图;当改变图层中的图像时,该缩略图也会随之改变。当一个图层被选取时,该行则呈蓝色显示。

8.1.3 图层菜单

图层菜单是 Photoshop CS3 众多的下拉菜单中选项最多、功能最复杂的菜单。我们把 Photoshop CS3 的图层菜单(如图 8-2 所示)和图层调板菜单(如图 8-3 所示)进行比较可以看出,两者大部分的命令是相同的。因此,:Photoshop CS3 的图层菜单尽管最全面,但在实际操作中绝大多数命令和功能都是通过图层调板及其调板命令来实现的。

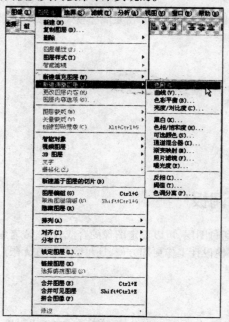

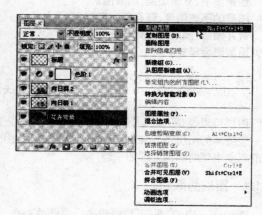

图 8-2   图 8-3

本节对于图层菜单将不做单独的讲解。图层菜单各命令选项的具体操作和功能可以通过后面的制作来体会和了解。

8.2 新建图层

利用图层调板和图层命令可以实现图层的所有操作。在本节中,将讲解创建图层(组)、复制和删除图层、更改图层顺序等图层操作。

8.2.1 创建新图层

Photoshop CS3 为用户提供了多种创建图层的方式,例如,直接新建图层、通过复制或剪切新建图层、将背景层转换为普通图层、从其他图层中复制图层、创建文字图层等。

1.直接创建新图层

__01__ 选择【图层→新建→图层】命令(组合键【Shift+Ctrl+N 】)▶▶或者选择图层调板菜单中的"新建图层"命令▶▶打开"新建图层"对话框,如图 8-4 所示。

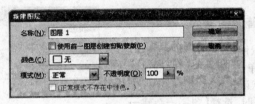

图 8-4

<u>02</u>　在"新建图层"对话框中，用户可以设置新图层的名称、颜色、混合模式、不透明度等选项，以及是否与前一图层编组(即该图层的下方图层)。直接单击图层调板下的"创建新图层"按钮 🔲，则以最快捷的方式新建一个默认名为"图层 1"的图层。

<u>03</u>　单击"确定"按钮，即可为图像创建一个普通图层。

名师点拨：

　　图层的"颜色"设置项，不是设置图层中像素的颜色，而是设置新建图层在图层调板中的显示颜色，目的是为了与其他图层有明显的区别。

2.通过拷贝创建图层

当用户在图像中创建了一个范围选区后，选择【图层→新建→通过拷贝的图层】命令(组合键【Ctrl+J】)，即可将选区内的图像复制到一个新图层，原有的图像保持不变。

3.通过剪切创建图层

选择【图层→新建→通过剪切的图层】命令(组合键【Shift+Ctrl+J】)，则将选区中的图像剪切掉并放置到新创建的图层中。

通过拷贝或剪切创建的图层与原图像选区中的内容相同，并且新图层位于原图像的正上方，只有通过移动该图像才能看到产生的变化，如图 8-5 所示。

4.通过剪贴板创建图层

通过剪贴板创建图层就像在 Word 中复制、粘贴文本一样，即先按组合键【Ctrl+C】，再按组合键【Ctrl+V】。在 Photoshop CS3 中创建图像选区后，选择【编辑→拷贝】命令(组合键【Ctrl+C】)，再选择【编辑→粘贴】命令(组合键【Ctrl+V】)，即可将选区中的图像粘贴至新图层中或其他图像中。

图 8-5

8.2.2 将背景层转换为普通图层

双击图层调板中的背景图层,激活"新建图层"对话框(如图 8-6 所示)▶▶单击"确定"按钮,即可将背景图层转换为普通图层(默认名称为"图层 0")。

当图像中没有背景图层时,选择【图层→新建→背景图层】命令,又可将所选的图层转换为背景图层,该图层中的图像将自动被放置到所有图像后面。

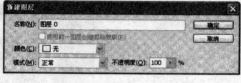

图 8-6

8.2.3 图层新命名

单击目标图层,然后选择【图层→图层属性】命令,在打开的"图层属性"对话框的"名称"文字框中输入图层的名称,在"颜色"下拉列表框中选择一种该图层在调板中的显示颜色,单击"确定"按钮,即可完成图层的新命名,如图 8-7 所示。

图 8-7

名师点拨:

设置图层名称和颜色的目的主要是为了帮助我们区分图层,便于工作,不会影响图层中的图像效果。

8.2.4 创建图层组

1.什么是图层组

Photoshop 中的图层组就好似一个 windows 文件夹,当图像中存在有多个图层时,用户可以创建一个盛装这些图层的图层组,利用图层组不仅可以大大简化图层调板的显示,对于图层的组织与管理也更为便利。

2.新建图层组

为了便于编辑管理图层,我们可以新建一个图层组,再在图层组中创建图层,也可以直接将图层拖动到图层组中,还可以将链接的图层创建到一个图层组中来存放。单击图层组图标前的▼按钮,即可折叠、展开图层组。新建图层组主要有以下 2 种方法。

图 8-8

图 8-9

①选择单击图层调板下的"创建组"按钮 ，即可新建一个图层组；②选择【图层→新建→组】命令，或者选择图层调板菜单中的"新建组"命令▶▶在打开的"新建组"对话框(如图 8-8 所示)中输入图层组的名称、选取颜色、设置混合模式和不透明度▶▶单击"确定"按钮，即可新建一个图层组，如图 8-9 所示。

创建图层组后，选取目标图层，将图层拖动到图层组图标上即可将其置入。选取图层组中的图层，可直接将其从图层组中拖出，又可将其移出。图层组所设定的属性将应用于该图层组中所包含的所有层，图层组默认的混合模式为"穿透"，当设定该模式时，该图层组中的图层混合模式不受影响。

8.3 编辑图层

利用矩形选框、椭圆选框、单行和单列等选框工具，我们仅能绘制出规则的选区，但更多的时候我们需要的则是不规则的选区。

8.3.1 复制图层

我们可以将所选图层复制为一个新图层，新图层中包含了原图层中的所有内容和属性。删除图层时，会删除图层中的所有内容；删除图层组时，可只删除图层组，也可同时删除图层组中包含的所有图层和图层中的内容。

01 选取目标图层▶▶选择【图层→复制图层】命令▶▶打开"复制图层"对话框，如图 8-10 所示。

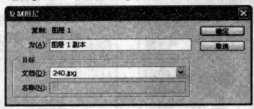

图 8-10

02 在"复制图层"对话框中输入复制图层的名称▶▶在"文档"下拉列表框中，用户可以选择将图层复制到的目标文档。如果选择"新建"，则可以在"名称"文本框中输入新建文档的名称▶▶另外，也可以直接将目标图层拖动到图层调板下的"创建新图层"按钮 上，即可在当前文档中复制所选图层。

03 单击"确定"按钮，完成图层的复制。

名师点拨：

如果用户选择的是图层组，"复制图层"命令会自动切换为"复制图层组"命令。复制的新图层组将包含原图层组中的所有图层。

8.3.2 删除图层

删除图层主要有两种方法，即通过命令法或图层调板来删除图层。

1.通过命令

选择目标图层，选择【图层→删除→图层】命令或选择"调板"菜单中的"删除图层"命令▶▶单击"删除图层"询问框中的"是"按钮，即可删除所选图层，如图 8-11 所示。

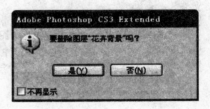

图 8-11

125

如果用户选择的是图层组，"删除图层"命令会自动切换为"删除图层组"命令，询问框将提示用户是仅删除图层组还是同时删除图层组中所包含的所有图层。

2.通过图层调板

单击目标图层▶▶,单击图层调板下的删除按钮  ,或者直接将图层拖动到该按钮上即可删除图层,如图 8-12 所示。

8.3.3 图层透明度调节

1.不透明度

指图层与图层之间,颜色与颜色之间的深浅程度,其全称为"设置图层的总体不透明度"。通过设置"不透明度"为 1% ~ 100% 的参

图 8-12

数值,可以设定透明百分比。当用户设定了图层的不透明度后,该图层中的图像将按照用户的设定透出下面图层中的图像,如图 8-13 所示。

图 8-13

2.填充

图层调板中的"填充"选项与【编辑→填充】命令是不同的,其全称为"设置图层内部的不透明度"。设置"填充"项只影响图层中绘制的像素或图层上绘制的形状,而不影响已经应用于图层的任何图层效果的不透明度。

8.3.4 隐藏图层

默认情况下,图层都是可见的。若单击图层调板中的眼睛图标 ,使眼睛消失,则该图层即被隐藏,如图 8-14 所示。再次单击眼睛图标,则又可显示该图层。

名师点拨:

当用户设定图层组隐藏后,该图层组中包含的所有图层都被强制设定为隐藏;如果用户设定图层组可见,还可以分别设定图层组中的部分图层隐藏。

图 8-14

8.3.5　链接图层

链接图层功能可以设定多个图层之间的链接关系,当图层链接后,就可以对链接图层做对齐、分布等操作。当移动图像时,链接图层中的图像也会随之移动。

按住【Shift】或【Ctrl】键▶▶单击图层名选取多个目标图层▶▶再单击图层调板下方的"链接图层"按钮 ,即可将所选图层链接。若再次单击"链接图层"按钮,则可解除图层之间的链接关系。

当用户设定图层的链接关系后,改变当前工作图层,不会解除图层的链接关系。如果用户在链接图层中更换当前工作图层,则图层前的链接图标和画笔图标会自动切换。

8.3.6　调整图层顺序

图层中图像的叠放顺序是由图层调板中的图层排列顺序决定的。在图层调板中,放置在上一图层中的图像就叠放在位于下层图层中的图像之上。

01　在图层调板中选择目标图层▶▶然后将该图层拖动到其他图层之上或之下,即可改变图层的排列顺序,如图 8-15 所示。

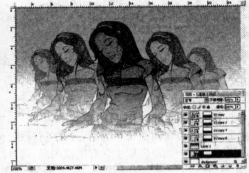

图 8-15

02　选择目标图层▶▶选择【图层→排列】命令,可以通过选取该命令子菜单中的各项命令来排列所选图层顺序(如图 8-16 所示)。例如,选取目标图层,按下组合键【Shift+Ctrl+」】,则将该图层置为顶层;按组合键【Ctrl+」】,可将该图层前移一层;按组合键【Ctrl+」】,可将该图层后移一层;按组合键【Shift+Ctrl+」】,可将该图层置为底层。

图 8-16

8.4 合并图层

　　当 Photoshop 文档中的图层越多时,该文档所占用的磁盘空间就越大,系统运行也就越缓慢。因此有时可以根据需要将一些图层合并,以提高工作效率。但合并图层后,图像会成为一个整体,不利于图像的再编辑:因此在合并图层前,一定要慎重。

8.4.1 向下合并

　　单击目标图层▶▶选择【图层→向下合并】命令(组合键【Ctrl+E】)▶▶即可将该图层与下一层的图层合并。

　　如果选取了多个图层,该命令将变为"合并图层",仅合并所选的图层。当所选图层中含有隐藏的图层,在合并时将自动丢掉隐藏图层中的图像。

8.4.2 合并可见图层

　　选择【图层→合并可见图层】命令(组合键【Shift+Ctrl+E】),可将 Photoshop CS3 文档中所有的可见图层合并。

8.4.3 拼合图像

　　拼合图像命令将对文件中的所有图层进行拼合,而不管是否选取了该图层。如果图层中含有隐藏图层,选择【图层→拼合图像】命令,在打开的询问框中单击"确定"按钮如图 8-17 所示,则在合并图像时丢掉隐藏图层中的图像。

　　在不包含背景层的图层中选择合并图层或使用合并可见图层命令合并图层时,合并后的图层依然为普通图层,并保留普通图层的属性;如果用拼合图像命令合并图层,合并后的图层转换为背景层,不保留普通图层的属性。

图 8-17

8.5 图层排列和分布

利用 Photoshop 设计作品时，时常需要将各图层中的图像以一定的间距对齐或者分布。Photoshop CS3 为此提供了功能齐全的排列、分布图层的功能。

8.5.1 图层对齐

按住【Shift】键，选择多个图层▶▶选择【图层→对齐】下的子命令，或者单击移动工具选择栏中的对齐按钮▶▶即可将所选图层以一定的标准对齐。图 8-18 所示即为水平居中对齐图层前后的效果。

图 8-18

8.5.2 图层分布

按住【shift】键，选择 3 个以上的图层▶▶单击移动工具选择栏中的分布按钮，即可将所选图层以一定的距离均匀分布。图 8-19 所示即为按底分布图层前后的效果。

图 8-19

8.6 图层混合模式

8.6.1 图层混合模式的概念

所谓"图层混合模式"就是指一个图层与其下面图层的色彩叠加的方式，其选项与画笔的模式选项几乎相同。利用图层的多种混合模式可以产生出许多种神奇的合成效果。

选取目标图层，并单击图层调板中的"正常"选项，在打开的图层混合模式下拉列表框中选择一种所需的混合模式后，即可应用到当前图像上，如图 8-20 所示为图层混合模式的图像效果。

图 8-20

8.6.2 应用图层混合模式

下面将对"图层 2"设置图层混合模式，使之与"图层 1"(如图 8-20 所示)产生各种混合效果，让大家进一步地了解图层混合模式的各种效果。

1.正常

编辑或绘制每个像素，使它成为结果颜色，是默认的混合模式。在处理位图或索引颜色图像时，正常模式也称为阈值。

2.溶解

编辑或绘制每个像素，使它成为结果颜色。这种结果颜色是对具有底色或混合颜色的像素的随机替换，取决于图像像素所在位置的不透明度。此模式会产生一种沙粒般的效果，在设置了图层透明或使用喷枪工具时，效果较明显，如图 8-21 所示。

3.变暗

查看每个通道中的颜色信息，并选择底色与混合颜色中较暗的颜色作为结果颜色，比混合颜色亮的像素被替换，而比混合颜色暗的像素则保持不变。

图 8-21

4.正片叠底

这种模式实际上是一种相乘的模式，结果是将混合颜色与底色相乘，得到较暗的颜色。使用黑色与其他颜色相乘，会产生黑色；而使用白色与其他颜色相乘，颜色保持不变，如图 8-22 所示。

5.颜色加深

查看每个通道中的颜色信息，使底色变暗以反应混合颜色。但当底色为白色时，颜色加深模式不产生变化。

6.线性加深

查看每个通道中的颜色信息，并通过减小亮度使基色变暗以反映混合色，与白色混合后不产生变化。

7.变亮

与变暗模式相反，选择底色或绘制颜色中较亮的像素作为结果颜色，较暗的像素则被较亮的像素取代，而较亮的像素不变。

8.滤色

这种模式与正片叠底模式相反、它是将绘制的颜色的互补色与底色相乘，因此结果颜色总是比原有颜色更浅。如用黑色执行滤色模式则颜色保持不变,用白色执行滤色模式则生成白色。

9.颜色减淡

查看每个通道中的颜色信息，使底色变亮以反映混合颜色。与黑色混合不会产生变化。

图 8-22

10.线性减淡(添加)

查看每个通道中的颜色信息,并通过增加亮度使基色变亮以反映混合色,与黑色混合则不发生变化(如图 8-23 所示)。

图 8-23

图 8-24

11.叠加

这种模式在混合颜色和底色时，保留图像的暗部和图像的亮部，可以增加图像的对比度 (图8-24)。

12.柔光

这种模式产生一种将柔和的灯光投射在图像上的效果，它根据混合颜色的亮度来决定着色的亮度。如果混合颜色比 50% 的灰色亮，则.图像会变亮;如果混合颜色比 50%~N 色暗，则图像会被变暗;如果用纯黑色或纯白色绘画，会产生明显较暗或较亮的区域,但不会产生纯黑色或纯白色。

13.强光

对颜色执行正片叠底模式或滤色模式,这取决于混合颜色。这种效果与耀眼的聚光灯照在图像上相似。

14.亮光

根据混合色的明暗度,可以通过增减对比度来加深或减淡颜色。当混合色比 50% 灰度亮时，则图像将降低对比度而变亮;当混合色比 50% 灰度暗时，则图像将加大对比度而变暗。

15.线性光

根据混合色的明暗度,可以通过增减亮度来加深或减淡颜色。如果混合色比50%灰度亮,则这个图像将增加亮度而变亮;如果混合色比50%灰度暗,则这个图像将降低亮度而变暗。

16.点光

根据混合色的明暗度来替换颜色。如果混合色比50%灰度亮,则比混合色暗的像素被替换掉,比混合色亮的像素不变;如果混合色比50%灰度暗,则比混合色亮的像素被替换掉,比混合色暗的像素不变。

17.差值

这种模式产生的结果是从底色中减去混合颜色或从混合颜色中减去底色,这取决于哪种颜色的亮度值较大。与白色混合会使底色反向,与黑色混合不产生变化,如图8-25所示。

图 8-25   图 8-26

18.饱和度

用底色的光度、色相和混合颜色的饱和度,来创建出结果颜色。在无饱和度(灰色)的区域上用该模式绘画不会引起变化,如图8-26所示。

19.排除

创建一种与差值相似,但对比度较低的结果。

20.色相

用底色的光度、饱和度和混合颜色的色相,来创建出结果颜色。

21.颜色

用底色的光度、混合颜色的色相、饱和度来创建出结果颜色。这可以保护图像中的灰色色阶,对于为单色图像上色或彩色图像着色很有用。

22.亮度

用底色的色相、饱和度与混合颜色的光度,来创建出结果颜色。

23.实色混合

就是将底色和选取颜色进行混合,形成一个颜色。

24.颜色

根据基础层亮度信息,在亮度较高的区域用本图层着色。

25.明度

根据基础层亮度信息,在亮度较低的区域用本图层着色。

本章小结

图层可以说是 Photoshop 中最重要的一项功能，同时也是我们必须完全掌握的知识。善于使用图层、图层混合模式，可以使我们对图像的编辑更加具有弹性。

过关实战

一、理论测试

1.填空题

(1)在 Photoshop 的图层中，_____ 图层既不能进行不透明度、图层混合模式，又不能进行图层样式的设置。

(2)按下组合键 _____，可以将当前图层排列到所有图层的顶层。

(3)用形状工具在文件中绘制图形时，会在图层调板中产生一个 _____ 图层。

(4)三种合并图层的方式是 _____、_____、_____。

2.选择题

(1)用形状工具在图像中绘制图形时，就会在图层面板中产生一个 _____ 图层。

A.文本图层　　B.普通图层　　C.背景图层　　D.形状图层

(2)执行【图层—新建】菜单中的 _____ 命令，可将背景图层转换为普通图层。

A.背景图层　　B.图层背景　　C.图层　　D.通过拷贝的图层

(3)"通过拷贝的图层"创建图层的组合键是

A.Ctrl+Shift+J　　B.Alt+Ctrl+J　　C.Ctrl+J　　D.Alt+J

(4)按下 _____ 键，然后单击图层调板中的目标图层，即可激活该普通图层中的图像轮廓选区。

A.Ctrl+Shift　　B.Ctrl　　C.Alt　　D.Shift

二、上机操作

打开素材文件(图 8-27、图 8-28)，利用图层合成模式及相关编辑知识，将图像进行合成。效果如图 8-29 所示。

图 8-27　　　　　　　　　图 8-28　　　　　　　　　图 8-29

第9章 图层的高级应用

本章导读：

　　图层样式是图层中最为神奇的功能。过去需要通过蒙版和通道才能创建的效果,现在仅通过图层样式即可得到。填充和调整图层可以不损坏原图就要以填充和调整图层。

　　本章主要介绍了图层样式、填充图层和调整图层等内容。

技能提要：

　　全面了解图层样式各选项。

　　了解填充图层。

　　掌握调整图层。

9.1　图层样式

　　如果希望利用 Photoshop CS3 在平面的图像上制作出具有立体感的视觉效果,我们可以用众多的图层样式来完成这项任务。

9.1.1　图层样式对话框

　　执行【图层→图层样式】命令或单击图层调板下方的 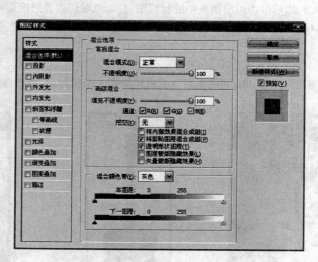 按钮,弹出"图层样式"菜单,选择该菜单中的任何一个命令,都可以打开"图层样式"对话框,如图 9–1 所示。

图 9-1

　　在"图层样式"对话框中,可以通过单击对话框左侧的样式选项列表来选择需要添加的图层样式,并通过右侧的选项来设定图层样式的效果。每一个选项前都有一个选项框,在框中打钩,表示应用该效果设定;不打钩,则表示不应用或取消。用户可以根据需要为.图层中的图像添加一种或多种效果。

9.1.2 混合选项

混合选项可以设定图层中图像与下面图层中图像混合的效果。混合选项包括常规混合、高级混合和混合颜色带这 3 个选项。

1.常规混合

常规混合栏中可以设定混合模式和不透明度,其效果等同于图层调板中设定的效果。

2.高级混合

·填充不透明度:该项设定只控制图像填充效果的不透明度,不会影响其他图层特效的不透明度。

·通道:用户可以选择混合的颜色通道。

·挖空:挖空下拉列表中的选项可以设定是否挖空下层图像。该项只有在设定低于 100% 的不透明度时效果才能显现出来。选择"无"项,则图层正常显示,透出下面一层图层中的图像;选择"浅"项,则挖空到图层组的最下一层;选择"深"项,则挖空全部图层,直到背景层。

·将内部效果混合成组:勾选该项,当用户为图像添加 n 内发光、绸缎和覆盖特效时,这些特效与图像填充一起应用填充不透明度设定。

·将剪切图层混合为组:勾选该项,当用户的当前图层与其上面的图层设定为群组时(以当前图层的图像范围剪裁上面图层中的图像),编组图层中的图像将同时应用当前图层中填充不透明度的设定。

3.混合颜色带

混合颜色带可以通过调整色阶值来指定颜色像素的显示,并且可以控制不同通道中的颜色像素。拖动"本图层"色阶滑杆上的滑块,设定色阶范围,当前图层图像中包含在该色阶范围中的像素将显示。拖动"下一图层"色阶滑杆上的滑块,设定色阶范围,下面图层图像中包含在该色阶范围中的像素将显示。

9.1.3 投影

应用"投影"图层效果可使图像、文字产生出向外的立体化阴影效果(如图 9-2 所示)。其设置框中有结构和品质两大选项。

图 9-2

1.结构

结构选项由"混合模式"和"不透明度"构成。以下为具体说明。

·混合模式:可以在下拉列表框中选择一种混合模式,与图层调板混合模式列表中的选项相同。单击对话框中混合模式右边的颜色块,可以设定投影的颜色。

·不透明度:设定阴影的不透明度,值越大,效果越明显。

·角度:设定光源的角度,来确定阴影的方向。

·距离：设定投影与图像之间的距离。

·扩展：投影的大小默认值与图像的大小默认值一致，扩展可以设定投影的延伸。

·大小：该项用于设定投影的模糊程度，值越**大**，投影越模糊。

名师点拨：

　如果勾选"使用全局光"项，则用户的光源角度设定将与内投影、斜面和浮雕等需要设定光源角度的特效中的光源角度设置保持一致，并且用户在任何一种特效选项对话框中修改光源角度，所有勾选了"使用全局光"项的特效中的光源角度都会修改。

2.品质

品质选项包括清除锯齿、杂色等高线等选项，具体说明如下。

·清除锯齿：勾选该项，使效果更柔和。

·杂色：通过拖动滑决来给投影效果添加杂点，值越大，杂点效果越强。

·等高线：等高线实际上是色调曲线的反映，通过曲线调整来分布投影色彩或其他特效的效果。单击等高线预览旁的■按钮，可以打开等高线"样式"调板，用户可以选择一种预置的等高线设置。再打开等高线调板菜单，通过选择菜单中的命令，用户可以对等高线进行管理。

9.1.4　内阴影

　"内阴影"与"投影"的设置选项基本相同，设置其选项会令目标图像、文字产生出向内的立体化阴影。如果图像边缘较窄，且为空心，产生的效果就明显。

9.1.5　外发光

　利用外发光图层样式设置(如图9-3所示)可使图像产生出向外的光晕效果。例如，当图像颜色与其背景颜色很相近或者相同时，利用外发光功能可以很好地将图像与背景区分开来。

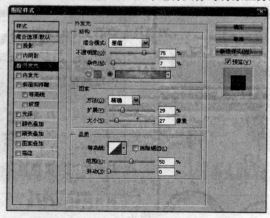

图9-3

以下为外发光各设置项的简要说明。

·发光颜色：该项可设置纯色的发光效果，也可以设置渐变颜色的发光效果。单击渐变颜色预览框，打开渐变颜色编辑对话框。单击渐变颜色预览框下三角按钮可以打开渐变颜色"样式"调板。

·方法：该下拉列表中有较柔软和精确两种发光类型供选择。较柔软的发光类型可以产生平滑的光晕边缘；精确的发光类型使光晕边缘依据图像边缘同心扩散(如图9-4所示)。

·延伸：该项用于设定外发光轮廓的粗细。

· 抖动: 该项可以设定光晕边缘随机的渐变。

· 源: 在内发光选项中, 用户选择"居中"或"边缘"选项, 可以设定内发光是由中心扩散或是由边缘扩散。

图 9-4

9.1.6　内发光

内发光图层样式使图像可产生出向内的光晕效果, 其设置选项与外发光设置选项相同。

9.1.7　斜面和浮雕

通过斜面和浮雕设置框(如图 9-5 所示)来制作立体效果, 是我们今后常用的一种手段。它可以凸显部分图像的立体感, 而产生丰富的图像效果。以前需要通道制作的复杂效果, 现在仅需要该图层样式就可以轻松完成。

1.基本设置

在结构选项框中的"样式"下拉列表中, 用户可以选择一种立体效果。

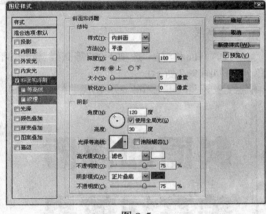

图 9-5

· 外斜面: 沿图像的外边缘创建斜面。

· 内斜面: 沿图像的内边缘创建斜面。

· 浮雕效果: 创建图像相对于下层图像的凸出效果。

· 枕状浮雕: 创建图像边缘陷进下层图像的效果。

· 描边浮雕: 当用户勾选了对话框中的"描边"项, 添加了边框, 该效果可以制作边框的浮雕效果。

在"方法"下拉列表框中, 我们可以选择平滑、雕刻清晰和雕刻柔和这 3 种创建立体效果的方式。其立体效果可以有凸起和凹陷 2 种, 可以选取"方向"选项中的"上"或"下"来产生与光源角度相反的投影, 创建凹陷效果。如图 9-6 所示即为源图、外斜面和内斜面效果。

· 深度: 拖动深度滑杆上的滑块, 可以设定立体化效果的深度。

· 方向: 控制图像凸起或凹陷。

· 柔和: 设定斜面向图像表面过渡的边界, 值越大, 边界越柔和。

· 高度: 该项用于设定光源的高度, 不同高度的光源同样会产生不同的立体效果。

图9-6 源图、外斜面和内斜面效果

名师点拨：

斜面和浮雕的立体效果实际上是通过亮部(光面)和暗部(背光面)来塑造的，所以在阴影栏中，用户可以分别控制"高亮模式"和"不透明度"项，利用"阴影模式"和"不透明度"项来设定图像亮部和暗部的效果。

2.等高线

勾选"斜面和浮雕"选项下的"等高线"选项，可以通过设置"等高线"样式来设定立体效果斜面的颜色分布(如图9-7所示)。

图9-7

"等高线"设置项与"斜面和浮雕"对话框中的"光泽等高线"项不同。"光泽等高线"是设定的立体效果中阴影的颜色分布。

3.纹理

勾选"斜面和浮雕"选项下的"纹理"选项，可以设置斜面和浮雕的纹理效果。单击。图案预览框，从弹出的预置图案调板中选择一种图案来附着在图像表面，可以产生凸起或凹陷的纹理效果，如图9-8所示。

以下为"纹理"设置项的简要说明。

·贴紧原点：单击该按钮，可以使纹理的起始位置对齐图像的左下角。

·缩放：拖动滑块，可以设定图案的大小，框中的数值是图案大小的缩放百分比。

·深度：肌理效果凸起或凹陷的深度。可以输入 $-1000 \sim +1000$ 的数值。

·反向：勾选该项，使纹理凸起部分和凹陷部分反向。

·与图层链接：勾选该项，可以设定纹理与图层中图像链接在一起。

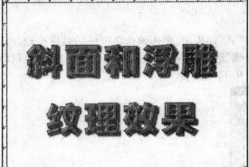

图 9-8

9.1.8　光泽

光泽效果是使图像表面产生像绸缎一样的光泽。"光泽效果"对话框中的选项的功能和使用方法基本上与前面所讲过的选项一样。该对话框中的颜色块是用于设定产生的光泽颜色。光泽效果中的光源角度没有"使用全局光"选项。

9.1.9　颜色叠加

叠加就是在图像原来的填充效果上再添加填充效果。叠加设置有 3 种方式：颜色叠加、渐变叠加和图案叠加。叠加效果可以和图像原来的填充效果混合，使图像更丰富。

勾选"渐变叠加"选项中的"与图层对齐"项，可以只在图像的范围内应用填充效果。不勾选该项，可以在图层范围内应用填充效果，但只有图像范围内的填充效果显现出来。勾选"反向"项，可以使渐变叠加的颜色方向反向。

当用户同时添加颜色覆盖、渐变覆盖和图案覆盖效果时，颜色覆盖将在最上层优先显示，渐变覆盖其次，图案覆盖在最下层。

9.1.10　描边

描边效果是在图像边缘添加边框。用户可以添加颜色边框，也可以添加具有渐变效果和图案效果的边框。

9.2　新建图层样式

为使用户更方便地利用 Photoshop 设计作品，Photoshop cs3 将一些常用的图层特效创建成图标，放置在"图层样式"对话框和"样式"调板中，使我们只需单击这些图标按钮，即可快速对目标图像应用图层特效。

9.2.1　创建图层样式

当用户通过"图层样式"对话框创建新的图层特效后，单击"样式"调板中的 按钮，或者执行"样式"调板菜单中的"新建样式"命令，即可打开"新建样式"对话框，如图 9-9 所示。

在"新建样式"对话框中，用户可以 给新样

图 9-9

式命名。新样式创建后,将被放置在"样式"调板的最下面。

9.2.2 调用预设样式

新建的图层样式都放置在"图层样式"对话框和"样式"调板中,单击该选项框中的目标按钮,即可对图像应用图层特效。在"图层样式"对话框中选择"样式"选项,或者选择【窗口→样式】命令,即可打开"图层样式"对话框(如图 9-10 所示)和"样式"调板(如图 9-11 所示)。

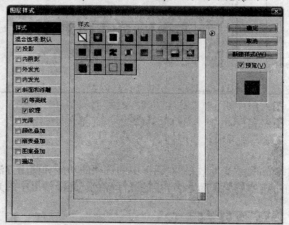

图 9-10   图 9-11

选取图层,单击"图层样式"对话框或者"样式"调板中的图层样式按钮,即可将该样式应用到所选图层上,如图 9-12 所示。

图 9-12

9.2.3 载入预设样式库

用户可通过样式管理命令中的"复位样式"、"载入样式"和"替换样式"命令来更换"样式"调板中的样式。

·复位样式:该命令可以将"样式"调板中的样式更改回系统默认的样式。

·载入样式:执行该命令将打开、"载入样式"对话框。在对话框中选择一个样式文件(*.ASI 文件),可以将该样式文件中包含的样式载入,并添加到当前"样式"调板中的样式之后。

·替换样式:执行该命令将同样打开"载入样式"对话框,并将所选样式文件载入。但新载入的样式文件中包含的样式将替换当前"样式"调板中的样式。

9.2.4 保存样式

用户所创建的新样式并不会永久地保存在"样式"调板中，当用户使用"替换样式"命令时，用其他样式将当前样式替换后，用户所创建的样式会丢失。如果用户希望创建的样式不被丢失，就需要将样式保存为*ASL,文件，放置在样式库中。

01 设置自定义样式后▶▶选择"样式调板菜单中的"保存样式"命令，打开"存储"对话框，如图 9-13 所示。

02 在对话框中输入文件名（文件格式为 *.ASL)▶▶单击"保存"按钮，即可将自定义样式保存。自定义样式同样可以载入到"样式"调板中去。

图 9-13

9.2.5 清除和删除样式

清除样式是将应用在图层中图像上的效果清除。删除样式是将所选样式图标从"样式"调板中删除。选择图层后单击"样式"调板下的按钮 ，即可清除样式。选择自定义样式图标后单击"样式"调板下的 按钮，即可删除该样式图标。

用户如果对某一图层样式效果不太满意，可双击该图层下的"效果"显示项，打开"图层样式"对话框，重新对该图层的样式效果进行修改。

9.3 填充图层

调整图层和填充图层是一种较特殊的图层，即都是一种非破坏性的图层。调整图层主要用来调节图层的色调和色彩，而填充图层主要用来为图像增添颜色、渐变或图案。

9.3.1 纯色

选择目标图层(如图 9-14 所示)，然后选择【图层→新建填充图层→纯色】命令，在打开的"拾取实色"对话框中选择所需颜色，单击"确定"按钮，即可创建纯色填充图层设置该图层的"不透明度"、"填充"和"图层混合模式"后，即可得到图 9-15 所示的效果。

图 9-14

图 9-15

9.3.2 渐变

选择目标图层(如图 9–16 所示),然后选择【图层→新建填充图层→渐变】命令,在打开的"渐变填充"对话框中选择渐变颜色、样式、角度和缩放等选项,单击"确定"按钮,即可创建渐变填充图层,如图 9–17 所示。

图 9-16

图 9-17

9.3.3 图案

选择目标图层,然后选择【图层→新建填充图层→渐变】命令,在打开的"图案填充"对话框中选择所需图案,单击"确定"按钮,即可创建图案填充图层。

9.4 调整图层

9.4.1 色调类调整图层

色调类调整图层由色阶、曲线、色彩平衡和亮度 / 对比度等调整图层构成。下面我们将对图 9–18 中的图像进行色阶调整。

单击目标图层,选择【图层→新建调整图层→色阶】命令,在打开的"色阶"对话框中进行所需的色阶调整,单击"确定"按钮,即可得到图 9–19 所示的调整效果。

图 9-18

图 9-19

9.4.2 色彩类调整图层

色彩类调整图层有黑白、色相/饱和度、可选颜色、通道混合器等诸多调整图层。下面我们将对图9-20所示的图像进行色相/饱和度调整。

单击目标图层,选择【图层→新建调整图层→色相/饱和度】命令,在"色相/饱和度"对话框中进行所需的色相、饱和度调整,单击"确定"按钮,即可得到图9-21所示的调整效果。

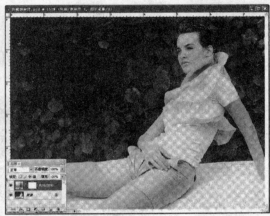

图 9-20　　　　　　　　　　　　　　　图 9-21

本章介绍了图层样式、填充图层和调整图层等1内容。利用图层样式可轻易地让图像具有立体感和漂亮的特效。而通过填充和调整图层,可以在不损坏原图的基础上来填充、渐变和调整图像色彩和色相。

一、理论测试

1.填空题

(1)图层中 _____ 和 _____ 决定了其像素与其他图层中的像素相互作用的方式。

(2)通过图层样式中的 _____ 命令,可以在紧靠图层内容的边缘内添加阴影,使图层效果具有凹陷外观。

(3)调整图层是一个比较特殊的图层,主要用来控制和 _____ 的调整。

(4)通过图层样式中的 _____ 命令,可以在图层内部根据图层的形状应用阴影,通常都会创建出光滑的磨光效果。

2.选择题

(1)_____ 和 _____ 图层和普通的图层有着一样的不透明度和混合模式,并且也可以重排、删除、隐藏和复制。

    A.调整、填充   B.形状、蒙版   C.蒙版、调整   D.填充、形状

    (2)按 _____ 键,拖动图层调板中的图层样式图标到其他图层,即可对该图层添加所拖动的图层样式。

    A.Alt   B.Shift   C.空格   D.Ctrl

    (3)通过 _____ 选项,可以通过部分地填充边缘像素来产生边缘平滑的文字。

    A.羽化选区   B.清除   C.平滑选区   D.消除锯齿

二、上机操作

    打开素材文件(如图 9-22 所示),利用图层样式及新建图层调整功能,将素材图像制作成如图 9-23 所示的特殊效果。

图 9-23

第 10 章　蒙版

本章导读：

　　简单地说，蒙版就是图像上的一层保护膜，当用户创建了一个图像选区后，该选区之外的区域将被保护起来，而这个受保护的区域就称为蒙版。

　　本章主要给用户介绍了如何创建快速蒙版、如何创建图层蒙版、如何创建矢量蒙版，以及如何创建剪贴蒙版等内容。

技能提要：

　　了解快速蒙版。
　　掌握图层蒙版。
　　熟悉矢量蒙版。
　　掌握剪贴蒙版。

10.1　快速蒙版

　　所谓快速蒙版就是一个临时性的蒙版，利用快速蒙版可以很容易地对存在有缺陷的选区进行修改，当修改完成后，再次单击"快速蒙版模式"按钮，又可切换到使选区恢复到正常模式。

10.1.1　创建和设置快速蒙版

　　快速蒙版的作用就是使我们无需使用通道就可以将选区转换为蒙版来进行编辑。当用户进入快速蒙版模式后，图像中未被选取的范围将由一个半透明的蒙版(遮膜)覆盖，用画笔等绘画工具在蒙版上进行涂抹，即可修改选区。

1.创建快速蒙版

　　当我们制作了一个选区后，单击工具栏中的"以快速蒙版编辑"按钮，即可以切换到快速蒙版模式下(如图 10-1 所示)。在快速蒙版模式下，我们可以用所有的绘图工具、编辑命令对选区进行修改、调整。编辑好选区后，再次单击工具栏中的 "以标准模式编辑"按钮，又可切换回标准模式中。

　　既然是蒙版，那么在进入快速蒙版模式后，通道调板中就会出现一个临时的快速蒙版通道。当用户切换到标准模式中时，该临时通道又会消失。

图 10-1

2.设置快速蒙版

默认状态下的快速蒙版呈红色,且为50%的不透明度。对于一般的图像,利用默认的快速蒙版来编辑选区,也许不会有什么困难。但是对于背景呈红色,且图像与背景之间的界线不明了,默认状态下的快速蒙版就不容易编辑选区了。因此,为了更好地编辑具有红色背景的选区,就需要重新设置快速蒙版的显示颜色和不透明度。

01 双击工具栏中的"快速蒙版模式"按钮  或者在通道调板中的临时"快速蒙版"通道上双击,即可打开"快速蒙版选项"对话框,如图10-2所示。

以下即为"快速蒙版选项"对话框各选项的简要说明。

·被蒙版区域:选择该项,快速蒙版将覆盖在用户选取范围以外的图像上。

·所选区域:选择该项,快速蒙版将覆盖在用户所选取范围以内的图像上。

·颜色块:单击该颜色块,即可打开"选择快速蒙版颜色"拾色器。通过该对话框可设置快速蒙版的显示颜色。

·不透明度:指快速蒙版选区的不透明度效果。数值越大,越不透明。

图10-2

02 单击"颜色"栏下的颜色块▶▶在打开的"选择快速蒙版颜色"对话框中选择快速蒙版的显示颜色▶▶在"不透明度"数值框中输入所需的数值。

03 单击"确定"按钮,即可完成快速蒙版的设置。

10.1.2 快速蒙版的编辑

相对于图层蒙版和矢量蒙版,快速蒙版的最大优点就是简单、快速。对于那些存在有缺陷的选区,一般都可以用快速蒙版来修改。另外,也可以粗略地创建一个选区,然后再通过快速蒙版进行局部修改。

1.用快速蒙版编辑选区

下面我们将利用魔棒工具和快速蒙版选取如图10-3所示中摩托车轮廓选区。

01 用魔棒工具在摩托车图像的白色区域上单击▶▶然后按组合键【Shift+Ctrl+I】反向选取选区,这时摩托车的轮廓选区基本上就被选取了,如图10-4所示。

图10-3

图10-4

02 单击工具栏中的"快速蒙版"按钮,切换到快速蒙版模式▶▶这时选区以外的区域就被红色的快速蒙版所掩盖,如图10-5所示。

03 按下【D】键,恢复系统默认的前景色和背景色▶▶然后用画笔工具在摩托车上不需要的区域上涂抹,直至其完全遮盖起来,如图10-6所示。

04 单击工具栏中的"标准模式"按钮 ,切换到标准模式▶▶这时摩托车轮廓即可被完整选取了,如图10-7所示。

05 按组合键【Shift+Ctrl+I】反向选取选区▶▶双击背景图层,在打开的"新建图层"'对话框中单击

"确定"按钮,将背景层转换为"图层 O"▶▶按下【Delete】键删除白色背景,即可得到如图 10-8 所示的最终效果。

图 10-5

图 10-6

图 10-7

图 10-8

名师点拨:

在快速蒙版状态下,用白色在蒙版遮膜上涂抹,是清除遮膜;黑色在遮膜上涂抹,则是扩大遮膜的范围。另外,对快速蒙版的修改并非只能用画笔、铅笔等绘画工具;像矩形、套索等选框工具也可以使用,用这些工具在快速蒙版中创建选区后,以黑色或白色填充选区即可达到修改快速蒙版的目的。

2.存储蒙版选区

用户在快速蒙版编辑模式下创建的蒙版是一个临时的蒙版,一旦单击"标准编辑模式"按钮切换到标准模式后,快速蒙版就会马上消失。若要让快速蒙版永久地保留在通道调板中成为一个普通的蒙版,可以采取这样的方式:

用鼠标将通道调板中的"快速蒙版"拖动到"创建新通道"按钮 上,或者选择通道调板菜单中的"复制通道"命令,在打开的"复制通道"对话框中单击"确定"按钮,这时通道调板中就会出现一个名为"快速蒙版副本"的蒙版。即使切换到标准模式,该快速蒙版副本仍然会保留在通道调板中,如图 10-9 所示。

图 10-9

10.1.3 退出快速蒙版

在快速蒙版中编辑完选区后,单击工具栏中的"标准模式"按钮 ,即可退出快速蒙版模式,切换到标准模式状态。

10.2 图层蒙版

图层蒙版是一种特殊的蒙版,图层蒙版附加在目标图层上,用于控制图层中的部分区域是隐藏还是显示。在图层蒙版中黑色部分为透明区域,表示可以显示出下面的图层;白色部分为不透明区域,表示将遮盖下面的图层;灰色部分为半透明区域,表示可以显示下面区域的部分像素。使用蒙版的最大的好处在于,它可以在不损坏图像的基础上,随心所欲地绘制出以假乱真、移花接木的艺术效果。

10.2.1 创建和设置图层蒙版

1.创建图层蒙版

在非背景层中的图像上创建选区后,单击图层调板下的蒙版按钮,该图层的右侧即可出现一个白色的图层蒙版预览图。此时如果用画笔、铅笔等绘画工具以黑色或白色在图像上涂抹,就会掩盖、显现图像的其他区域;以灰色在该图层上涂抹,则使图像变得透明。这种在图层蒙版上的涂抹不会对图像本身造成任何伤害,而此时的图层蒙版预览图就会由先前的白色变成黑、白、灰的3种颜色,如图10-10所示。

图 10-10

名师点拨:

图层蒙版的修改正好与快速蒙版相反。,用白色在图层蒙版上涂抹,则会显现图像;用黑色在图层蒙版中涂抹,则是遮盖一像的显现范围;而灰色则为透明度设置。另外,在图层蒙版中同样也可以用钢笔、矩形、套索等工具来创建选区,再以黑色。白色和灰色填充,即可修改图层蒙版。

2.图层蒙版的应用

在 Photoshop 中可以为一个图层或选区甚至是图层组创建图层蒙版。下面我们将对如图10-11、图10-12和图10-13所示中的图像应用图层蒙版。应用图层蒙版的操作步骤如下:

01 打开如图10-11、图10-12和图10-13所示的这3个图像▶▶然后用移动工具将"火车"、"人"这两个图像拖动到"桥"文档中▶▶并使"人"图层位于顶层、"火车"图层居中,"桥"图层位于底层。

图 10-11

图 10-12

图 10-13

02 选择"人"图层▶▶按下组合键【Ctrl+T】，通过变形框将"人"图像旋转、缩放到适当大小，并将其摆放到火车头的窗口▶▶单击图层调板下的"添加图层蒙版"按钮 ⬚，为该图层创建一个图层蒙版，如图 10-14 所示。

03 用画笔工具以黑色、白色和灰色在该图层蒙版上涂抹，即可很容易的将人放置到火车头中(如图 10-15 所示)▶▶另外，对于那些不好涂抹的地方，则可以先用钢笔、套索工具创建选区，然后以黑色、白色或灰色进行填充。

图 10-14

图 10-15

04 选择"火车"图层▶▶单击图层调板下的"添加图层蒙版"按钮 ⬚，为火车图层也创建一个图层蒙版，如图 10-16 所示。

05 用画笔工具以黑色、白色和灰色在图层蒙版上涂抹，即可将位于底层的"桥"图像显现出来，这时一幅火车穿桥洞的图像就创作出来了，如图 10-17 所示。

图 10-16

图 10-17

名师点拨：

当在图像中创建了选区后，选择【图层→图层蒙版→显示选区】命令，即可将未选取的图像部分遮盖起来；而选择【图层→图层蒙版→隐藏选区】命令，则可将选取的图像遮盖起来。

10.2.2　图层蒙版的编辑

1.断开图层蒙版的链接

默认状态下,在图层调板中,图层缩略图与图层蒙版之间会有一个链接图标■,表示该图层(组)与其图层蒙版链接在一起。如果移动或变形图层时,其图层蒙版也将随之改变。单击"链接"按钮■,即可断开图层与蒙版的链接(如图 10-18 所示),再次单击则可重新链接。断开链接后的图层与图层蒙版可以单独移动或者编辑。

2.停用图层蒙版

如果要重新查看应用了蒙版的图层,选择【图层→图层蒙版→停用】命令,或按住【Sllift】键单击图层调板中的图层蒙版缩略图即可暂时停用图层蒙版,这时在缩略图上将会出现一个红色的"×"标志(如图 10-19 所示),而图层也将恢复到原始状态。

图 10-18　　　　　　　　　　　　　　　　图 10-19

被停用的图层蒙版并没有被删除,若想重新启用图层蒙版,单击图层调板中的图层蒙版缩略图,或选择【图层→图层蒙版→启用】命令即可。

3.查看图层蒙版

默认状态下,图层蒙版通道没有在图像中显示,按住【Alt】键并单击图层蒙版缩略图,即可以激活呈灰度显示的图层蒙版,此时在图层调板中眼睛图标都变成灰色(如图 10-20 所示)。若要重新显示图层,直接单击眼睛图标即可。

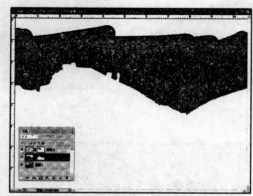

图 10-20

4.移除图层蒙版

由于图层蒙版是作为 Alpha 通道存储的,所以应用和移除图层蒙版有助于减少文件的大小。单击图层蒙版缩略图,选择【图层→图层蒙版→删除】命令,或单击图层调板下的"删除图层"按钮,激活一个提示框(如图 10-21 所示),单击"应用"按钮,蒙版效果将应用到图层上;而单击"删除"按钮,将取消图层蒙版的特效,恢复图像的原始状态。

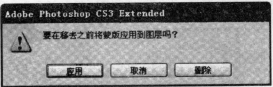

图 10-21

10.3 矢量蒙版

除了快速蒙版、图层蒙版外,Photoshopo CS3 还提供了另一种将路径转换为蒙版的矢量蒙版。利用矢量蒙版可以显示或遮盖图层在路径中的内容。矢量蒙版与图层蒙版主要的区别在于,矢量蒙版与分辨率无关,它主要是通过钢笔或形状工具来创建的。

10.3.1 创建矢量蒙版

1.创建矢量蒙版

在非背景图层上绘制所需的路径,选择【图层→矢量蒙版→显示全部】命令,即可在路径调板中添加一个矢量蒙版(如图 10-22 所示),但此时图层中的图像无任何变化;选择【图层→矢量蒙版→隐藏全部】命令,则会隐藏当前图层中的所有图像;而选择【图层→矢量蒙版↓当前路径】命令,将仅显现当前路径所包含的图像(如图 10-23 所示)。

图 10-22

图 10-23

2.矢量蒙版的应用

虽说矢量蒙版相对于图层蒙版使用频率要低些,但对于一些平整、光滑区域的掩盖,仅利用图层蒙版往往会感到力不从心。例如,下面将用图层蒙版和矢量蒙版将中图 10-24、图 10-25 和图 10-26 所示中的图像制作出一个雨林中的黑猩猩将头趴在窗户看室内的效果。

<table>
<tr><td>图 10-24</td><td>图 10-25</td><td>图 10-26</td></tr>
</table>

01 打开窗户、猩猩和雨林这 3 个图像▶▶然后用移动工具将其中两个图片拖动到另 1 个文档中▶▶通过图层调板将窗户调整到顶层，猩猩调整于中间层▶▶选择目标图层后，按下组合键【Ctrl+T】，通过变换框将图像缩放到适当大小，并将其移动到所需位置上，如图 10–27 所示。

02 选择窗户图层，用魔棒工具创建出窗框的连续选区▶▶单击路径调板下的"从选区生成工作路径"按钮，将窗框选区转换为工作路径，如图 10–28 所示。

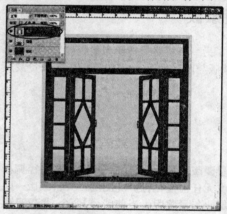

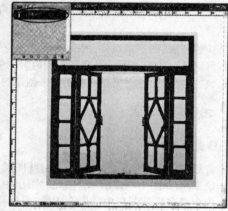

<table>
<tr><td>图 10-27</td><td>图 10-28</td></tr>
</table>

03 用路径选择工具框选全部的工作路径▶▶单击工具属性栏上的"从形状区域减去"按钮，然后单击"组合"铵钮。

04 选择【图层→矢量蒙版→当前路径】命令▶▶这时窗户即可变得透明，而露出猩猩和雨林图像▶▶而图层调板中将出现一个矢量蒙版的图标，如图 10–29 所示。

<table>
<tr><td>图 10-29</td><td>图 10-30</td></tr>
</table>

05 单击窗户图层左侧的眼睛图标,关闭该图层▶▶选择猩猩图层,单击图层调板下的"添加图层蒙版"按钮,为该图层添加一个图层蒙版,如图 10-30 所示。

06 按下快捷键【D】,恢复系统默认前景色和背景色▶▶用画笔工具以前景色或背景色在猩猩图像上涂抹,这时猩猩就很好地融入到雨林中了,如图 10-31 所示。

07 选择窗户图层,并单击该图层左侧的眼睛图标,显现出该窗户图像▶▶单击图层调板中的矢量蒙版图标,激活窗框选区路径,如图 10-32 所示。

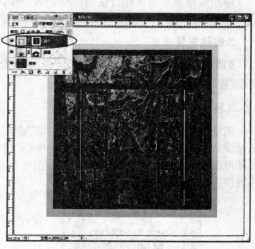

图 10-31 　　　　　　　　　　　　　　　　　图 10-32

08 选择工具栏中的钢笔工具▶▶对窗户路径进行添加、删除和移动锚点,将猩猩的手和肩部位大致地显露出来,如图 10-33 所示。

09 继续用钢笔工具对该路径局部进行精细调整,这时猩猩已经巧妙地融入到窗户中了▶▶最后再添加上一堆水果、注解文字,最终的效果如图 10-34 所示。

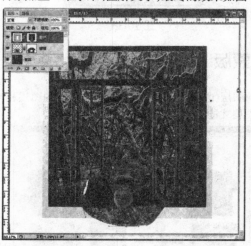

图 10-33 　　　　　　　　　　　　　　　　　图 10-34

名师点拨:

　　如果用户对矢量蒙版的效果不太满意,还可以通过单击图层调板中的矢量蒙版缩略图和路径调板中的缩略图来激活所绘路径,然后再利用钢笔、添加锚点、删除锚点和转换点等路径工具对其进行修醉。

10.3.2 矢量蒙版的编辑

矢量蒙版的编辑与图层蒙版的编辑非常相似，以下即为停用、删除、栅格化矢量蒙版的操作过程。

1.停用矢量蒙版

停用矢量蒙版的操作方法与图层蒙版一样，按住【Shift】键的同时单击矢量蒙版的缩略图，或选择【图层→矢量蒙版→停用】命令即可停用矢量蒙版，而此时的矢量蒙版预览图上将出现一个红×标记。

2.删除矢量蒙版

如果要删除矢量蒙版，选择【图层→矢量蒙版→删除】命令，或者直接将其拖动到图层调板的"删除图层"按钮 🗑 上即可。

3.转换为图层蒙版

矢量蒙版通过栅格化，即可转换为图层蒙版。选择图层调板中的矢量蒙版，选择【图层→栅格化→矢量蒙版】命令，或者选择鼠标快捷菜单中的"栅格化矢量蒙版"命令(如图 10-35 所示)，矢量蒙版缩略图即可由原来的灰白二色转变为黑白二色(如图 10-36 所示)。需要注意的是栅格化的矢量蒙版将无法再转换为矢量对象。

图 10-35

图 10-36

10.4 剪贴蒙版

剪贴蒙版的功能就是将指定图层与紧挨着它下方的图层(也称基底层)相组合，而它下方的图层相当于一个蒙版，控制上方图像的显示效果。只有连续的图层才能被编进剪贴组。

图 10-37

图 10-38

10.4.1　创建剪贴蒙版

01　首先通过图层调板将被剪贴的图层排列到上一层(如图 10-37 所示),而将作为遮色的图层排列到下一层(如图 10-38 所示)。

02　单击要被剪贴的目标图层▶▶选择【图层→创建剪贴蒙版】命令(组合键【Ctrl+Alt+G】),或者按住【Alt】键▶▶将鼠标移到两个图层的分界线上,光标呈 状时单击,即可创建出剪贴蒙版效果(如图 10-39 所示),而且在图层调板中被剪贴的图层将向后倒退一些,如图 10-40 所示。

图 10-39　　　　　　　　　　图 10-40

创建剪贴蒙版后,运用剪贴蒙版的基底层名称下就会添加一条下画线,同时覆在上面的图层缩略图也会往后缩进,而被剪切的图层也会显示出一个剪贴蒙版的图标 。对缩进图层应用混合模式只会影响剪贴组内的图层混合,而对基底层应用混合模式,则将影响整个剪贴编组与它们下面图层的混合。

10.4.2　释放剪贴蒙版

要释放已经被创建为剪贴蒙版的图层,首先在图层面板上选取剪贴蒙版,再选择【图层—释放剪贴蒙版】命令或是将鼠标移到两个图层之间,按住【Alt】键,当光标呈 状时,在两个图层之间单击,即可释放剪贴蒙版。

本章小结

图层蒙版、矢量蒙版和剪贴蒙版是今后在艺术创建中常用的一种手段。正因为有了这些蒙版,我们才可以轻松地利用 Photoshop 制造出移花接木、无中生有的神奇效果,让我们的作品更加出彩。

过关实战

一、理论测试

1.填空题

(1)快速蒙版的作用就是无需通过通道,就可以将 _____ 以蒙版的形式进行修改。

(2)在快速蒙版状态下,用 _____ 色在蒙版遮膜上涂抹,是清除遮膜;而用 _____ 色在遮膜上涂抹,则是扩大遮膜的范围。

(3)在图层蒙版中,_____ 色为透明区域,表示可以显示出下面的图层;_____ 色为不透明区域,表示将遮盖住下面的图层;而..色为半透明区域,表示将以半透明的形式显示下层图层中的图像。

2.选择题

(1)按住 _____ 键,单击图层调板中的图层预览图标,即可切换到图层蒙版编辑模式。

A.Shift+Ctrl   B,Ctrl   C.Alt   D.Ctrl+Alt

(2)与图层蒙版主要的区别在于,矢量蒙版与 _____ 无关,它主要是通过钢笔或形状等路径工具来创建。

A.大小   B.像素   c.路径   D.分辨率

(3)按住 _____ 键,将鼠标移到两个图层的分界线上单击,即可创建剪贴蒙版效果。

A.Ctrl   B.Alt   C.空格键   D.Shift

二、上机操作

打开素材文件(如图 10-41 和图 10-42 所示),利用图像蒙版的相关知识,制作一张如图 10-43 所示的图像特效。

图 10-41

图 10-42

图 10-43

第11章 通道

本章导读：

通道、图层、蒙版是 Photoshop 最重要的功能、利用 Photoshop 的通道功能，可以制作出许多意想不到的艺术特效。

本章主要介绍了通道的分类、通道调板的操作、创建颜色通道、Alpha 通道和专色通道，以及这 3 种通道的具体应用。

技能提要：

通道的分类。

通道调板的操作。

颜色通道的创建与编辑。

Alpha 通道的创建与编辑。

专色通道的创建与编辑。

11.1 通道的认识

通道、蒙版和图层是 Photoshop 的 3 大核心。要想利用 Photoshop 创作出富有创意的作品，就离不开通道、蒙版和图层。通过本章的学习，用户可以了解什么是通道，以及它的主要用途，掌握通道在实际操作中的运用，从而创作出梦幻般的艺术作品来。

11.1.1 通道的认识

1.什么是通道

作为 Photoshop 核心的图层、蒙版和通道，通道是最难以从字面上理解的了。那么什么是通道呢?其实"通道"是由分色印刷的印版概念演变而来的,在 Photoshop 的通道调板中可以看见组成画面的每种颜色都被记录在一个单独的通道里,每种颜色通道就好似分色印刷中的一块单色印版。

2.通道的主要作用

通道的应用非常广泛,通道最主要的作用是存储、编辑选区。Alpha 通道和颜色通道一样,都由灰阶所构成,因此,我们可以对"通道层"或"通道中的选区"进行诸如变形、色彩调整、复制、粘贴和滤镜特效等编辑操作。

3.通道的分类

Photoshop 的通道可以分为 3 类,即颜色通道、Alpha 通道和专色通道。其中颜色通道和 Alpha 通道是我们今后常用的。

11.1.2 通道控制调板

与图层调板一样,通道的大多数操作也都是通过通道调板来完成的。通过通道调板我们可以创建和管理通道,并查看最终的编辑效果。通道显示了图像的大量信息,它们是文档的重要组成部分。

打开目标图像后,单击 Photoshop CS3 操作窗口右侧的通道调板标签,即可展开"通道"调板(如图 11-1 所示)。通过通道调板可以完成所有的通道编辑,例如,创建.Alpha 通道、专色通道、删除、复制、合并及拆分通道等操作。

以下为通道调板的各项功能的简要介绍。

·通道名称:每个通道都有一个不同的名称以便区分。在新建 Alpha 通道时,若不为新通道命名,则 Photoshop CS3 会自动依序定名为 Alpha 1、Alpha 2……。如果新建的是专色通道,则 PhotoshopCS3 自动依序定名为专色 1、专色 2……,依次类推。要注意的是,在任何图像颜色模式下(如 RGB 和 CMYK 等),通道调板中的各原色通道(如红、绿、蓝)和主通道(如 RGB)都不能更改其名称。

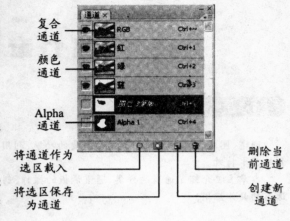

图 11-1

·通道缩略图:在通道名称的左侧有一个缩略图,显示该通道中的内容,从中可以迅速辨认每个通道。在任一图像通道中进行编辑修改后,该缩略图中的内容都会随之改变。若对图层中的内容进行编辑和修改,则各原色通道的缩略图也会随着改变。

·眼睛图标:用于显示或隐藏当前通道,切换时只需单击该图标即可。要注意,由于主通道和各原色通道的关系特殊,因此当单击隐藏某原色通道时,RGB 主通道会自动隐藏。若显示 RGB 主通道,则各原色通道又会同时显示。

·通道组合键:通道名称右侧的 Ctrl+ ~ 、Ctrl+1 等字样为通道组合键,按下这些组合键可快速选中所指定的通道。

·作用通道:也称为活动通道,选中某一通道后,将以蓝色显示这一条通道,因此称这一条通道为作用通道。要将某一通道设为作用通道,只需单击该通道名称或使用通道组合键即可。

·将通道作为选区载入:单击此按钮可将当前作用通道中的内容转换为选取范围,或者将某一通道拖动至该按钮上来载入选取范围。

·将选区保存为通道:单击此按钮可以将当前图像中的选取范围转变成一个蒙版保存到一个新增的 Alpha 通道中。该功能与【选择→保存选区】命令的功能相同,但使用此按钮将更加快捷。

·创建新通道:单击此按钮可以快速建立一个新通道。如果拖动某个通道至"创建新通道"按钮上就可以快速复制该通道。一个 Photoshop 文件最多支持 53 个通道,其中 RGB 文件能够支持 50 个附加的 Alpha 通道,而 CMYK 文件则支持 49 个附加通道。每新建一个 Alpha 通道将增加 25% 的文件大小,不过在图像打开的时候才会增加。

·删除当前通道:单击此按钮可以删除当前作用通道,或者用鼠标拖动通道到该按钮上也可以删除。不过主通道(如 RGB)不能删除。

名师点拨:

若使用通道调板中的各原色缩略图,并且以真实的颜色显示(如红通道显示为红颜色),可选择【编辑→首选项→显示与光标】命令,打开"首选项"对话框,勾选"通道用原色显示"项,即可。以彩色显示的通道除了会占用过多的内存,减缓程序运行速度外,并无其他益处。

11.2　颜色通道

11.2.1　颜色通道的认识

　　颜色通道是用来保存图像色彩资料的地方。在印刷中的4色网片中,我们只要将青、洋红、黄和黑4个色版重叠拼合起来,就可以得到彩色的图像(cMYK图像)。而青、洋红、黄和黑色版就分别保存了图像的4种颜色信息。同样,在RGB图像中,就包含了红、绿和蓝3个颜色通道。

11.2.2　创建颜色通道

　　当我们新建或打开一个图像时,:Photoshop就会自动创建颜色通道。图像的色彩模式决定了所建通道的数目,即被打开的图像如果为灰度或位图模式,那么该图像只有一个黑色通道(如图11-2所示)。

　　如果图像为RGB模式,则有3个颜色通道和1个合成通道(如图11-3所示),如果是CMYK模式,那当然也就有4个颜色通道和1个合成通道。通道都是灰度模式的图像,都是0~255层次的灰度阶梯。

图 11-2

图 11-3

11.2.3　颜色通道的编辑

1.隐藏和显示颜色通道

　　单击通道调板左侧的 👁 图标,即可显示或隐藏当前通道。由于RGB、CMYK等主通道和单色通道的特殊关系,当隐藏某个单色通道时,主通道也会自动隐藏。再次单击该眼睛图标,又可显示该颜色通道。如果此时显示的是主通道,那么其他隐藏的单色通道都会显现。当图像中仅显示一个颜色通道时,彩色的图像将变成灰度模式图像,如图11-4所示。

2.复制颜色通道

01　单击单色通道▶▶然后选择通道调板菜单中的"复制通道"命令▶▶打开"复制通道"对话框。

02　在"为(A)"文本框中输入名称▶▶在"文档"下拉列表框中,选择将通道复制到的目标文档,默认为当前工作文件。如果选择"新建"项,则可以在"名称"框中输入新建文档的名称▶▶勾选"反相"复选框,则可使通道反相,如图11-5所示。

03　单击"确定"按钮,即可完成通道的复制。

图 11-4　　　　　　　　　　　　　　　　　　　图 11-5

名师点拨：

　　另一种复制通道的方法是在通道调板中选取目标通道，直接将其拖动到通道调板下的"创建新通道"按钮上，即可在当前文档中复制所选通道。

3.删除颜色通道

　　选择目标颜色通道，选择调板菜单中的"删除通道"命令，即可将所选通道删除。直接将所选通道拖动到通道调板中的"删除当前通道"按钮 🗑 上，也可以删除该通道。

4.通过复制颜色通道创建选区

　　下面，我们将利用复制通道、阈值的方法来选择如图 11-6 所示中风景的天空选区。

01　打开目标图像，并切换到通道调板▶▶通过观察各颜色通道后，我们发现在该风景图像的蓝色通道模式下，树林与天空的反差最大▶▶用鼠标将蓝颜色通道拖动到通道调板下的"创建新通道"按钮 📑 上，得到蓝色副本颜色通道，如图 11-7 所示。

图 11-6　　　　　　　　　　　　　　　　　　　图 11-7

02　选择【图像→调整→阈值】命令▶▶在打开的"阈值"对话框中输入所需的阈值数值，阈值数值以不丢失图像背景细节，且将天空与树林明显分界为佳，如图 11-8 所示。

03　单击"确定"按钮，即可得到一幅黑白分明的风景图像，如图 11-9 所示。

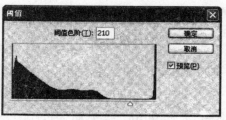

图 11-8

图 11-9

04 选择画笔工具,用黑色将阈值后的残存在黑色图像中的白色涂抹掉,如图 11-10 所示。

05 单击复合颜色通道,并关闭蓝色副本通道▶▶按住【Ctrl】键,单击蓝色副本通道,即可得到一个比较完美的天空选区,如图 11-11 所示。

图 11-10

图 11-11

11.3　专色通道

11.3.1　专色通道的认识

专色通道是特殊的预混油墨,常用在印刷特效中,例如印刷特别色、烫金、印银或局部上光等。有时印刷中的凹凸效果或开刀模局部裁切也可以使用专色通道。每一个专色通道都有一个属于自己的印版,如果要印刷带有专色的图像,则需要创建存储此颜色的专色通道,专色通道会作为一张单独的胶片输出。

11.3.2　创建专色通道

1.创建专色通道

01 在图像中创建选区(如图 11-12 所示),按住【Ctrl】键,单击通道调板中的"创建新通道"按钮,或者选择调板菜单中的"新建专色通道"命令,即可打开"新建专色通道"对话框,如图 11-13 所示。

图 11-12　　　　　　　　　　　　　图 11-13

　　02　在"名称"文本框中输入专色通道的名称,单击"油墨特性"选项中的"颜色"框,可以打开"拾色器"对话框来选择油墨颜色。单击"拾色器"对话框中的"颜色库"按钮,则可激活"颜色库"对话框,在色表栏中选择色表系统,一般选择常用的.PANTONEsolid coated 系统。

　　03　在"密度"文本框中输入 0% ~ 100% 的数值确定油墨密度,数值越大,颜色越不透明。密度只是用来在屏幕上显示模拟打印专色的密度,并不影响打印输出的效果。数值 100% 模拟完全覆盖下层油墨的油墨(如金属质感油墨);0% 模拟完全显示下层油墨的透明油墨(如透明光油)。

　　04　单击"确定"按钮,即可将选区创建为专色通道,如图 11–14 所示。

图 11-14　　　　　　　　　　　　　图 11-15

2. 专色通道的应用

　　01　打开如图 11–11 所示中的图像,并激活图像中的天空选区▶▶按住【Ctrl】键,单击通道调板中的"创建新通道"按钮,在打开的"新建专色通道"对话框中输入专色的名称、设置密度值,单击颜色块,在"选择专色"对话框中选择所需的蓝色,如图 11–15 所示。

图 11-16　　　　　　　　　　　　　图 11-17

02 单击"确定"按钮,即可为图像创建一个蓝色专色通道▶▶按住【(Xrl)键,单击该蓝色专色通道,再次激活天空选区,如图 11-16 所示。

03 选择渐变工具,在其"渐变编辑器"对话框中选择"黑色白色"渐变▶▶用渐变工具在天空选区上,从上向下拖动鼠标,对其进行黑色到白色的渐变,这时即可将纯蓝色的天空变成白到蓝的渐变天空,如图 11-17 所示。

11.4 Alpha 通道

11.4.1 Alpha 的认识

Alpha 通道主要用来存放图像中的选择区域。当用户在图像上创建了选取范围,司将该选取范围保存在 Alpha 通道中备用。Alpha 通道是以 8 位灰阶图像来存放用户的选范围的,所以,在通道中只有图像的灰度变化,而没有色彩上的变化,用户的羽化选区以以灰阶渐变的效果来显示和保存。

> **名师点拨:**
> 只有将图像保存为 *.PSD、*.PDF、*.PICF、*.TIFF 和 *.RAW 格式时,在图像中创建的 AIpha 通道才能保存。而其他文件格式,可能会导数通道信息的丢失。

11.4.2 创建 Alpha 通道

当用户花了几十分钟创建了一个复杂的选区,在关闭 Photoshop 或计算机后,劳动成果就会付诸东流。为了避免出现这种现象,用户要及时用"存储选区"命令将选区保存为 Alpha 通道,保存的结果可在通道调板中看到,并且 Alpha 通道和选区之间还可以相互转换。

01 在图像中创建好一个选区后(如图 11-18 所示)▶▶选择【选择→存储选区】命令。

02 在打开的"存储选区"对话框中,除了可以设置文档、通道和名称外,还可以选择是创建新通道,还是在已有的通道基础上再生成新通道,如图 11-19 所示。

图 11-18

图 11-19

以下为"存储选区"对话框各项简要说明。

·文档:设置选取范围所要存储的目标文件。可以将选取范围作为蒙版存储在当前相同大小的打开图像或者是一个全新的文件中。

·通道:选择选取范围所要存储的 Alpha 通道位置。可以将选取范围存储到任何现有的 Alpha 通道上或是成为一个图层蒙版。

·名称：在所选择的 Alpha 通道上存入新 Alpha 通道时，可以输入 Alpha 通道的名称。如果将选区存储到现有通道，可以在操作区域中选择不同的组合方式。

·新建通道：将选取范围作为一个新的超 pha 通道保存。

·添加到通道：可将选区范围加入到现有的 A1pha 通道保存。

·从通道中减去：从现有 Alpha 通道中减去要存储的选取范围后存储为 Alpha 通道。

·与通道交叉：将现有 Alpha 通道与要存储的选取范围的交集部分存储为新的 Alpha 通道。

图 11-20

03 单击"确定"按钮，即可在通道调板底部创建一个 8 位的灰阶通道，并且该通道会自动设为作用通道，如图 11-20 所示。

名师点拨：

当创建选区后，也可以直接单击通道调板下方的"将选区存储为通道"按钮，即可将选区保存为一个未命名的 Alpha 通道。双击通道的名称，即可重命名 Alpha 通道。按住【A1t】键，单击通道调板下方的"创建新通道"按钮，即可激活"新通道"对话框。

11.4.3 编辑 Alpha 通道

1.显示和隐藏通道

单击通道调板左侧的 图标，即可显示或隐藏当前通道。由于主通道和原色通道的特殊关系，当隐藏某原色通道时，主通道也会自动隐藏。而显示主通道时，被隐藏的各原色通道也会同时显示出来。

名师点拨：

默认状态下，各原色通道均是以灰度显示的。如果选择【编辑一首选项一显示与光标】命令，在激活的对话框中勾选"通道用原色显示"复选框，通道调板中的各原色通道将可以相匹配的颜色显示。不过，以彩色显示的通道除了会占用过多的内存，减缓程序运行速度外，并无其他益处。

2.将 Alpha 通道转换为选区

Photoshop CS3 为用户提供了多种将 Alpha 通道转换为选区的方法，以下即为各方法的简要操作说明。

·利用"载入选区"对话框：将选区保存为 Alpha 通道后，任何时候都可以通过选择【选择一载入选区】命令，在"载入选区"对话框"通道"下拉列表框中选取目标 Alpha 通道后，单击"确定"按钮即可将 Alpha 通道转换为选区，如图 11-21 所示。

·利用鼠标拖动：将目标通道拖至通道调板中的"将通道作为选区载入"按钮 上，如图 11-22 所示。

·按住【Ctrl】键：单击通道调板中的要转换成选区的 Alpha 目标通道。

·利用组合键：利用组合键【Ctrl+Alt+#】载入 Alpha 选区是最方便的方式，比如要载入第 3 个通道选区,可以直接按组合键【Ctrl+Alt+3】即可,而不用切换到通过调板。

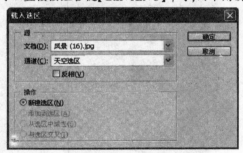

图 11-21

图 11-22

用户可以将所选通道在当前文件中复制为一个新通道, 也可以将所选通道复制到一个斯建文档中。删除通道后,通道中所有信息都将被删除,如果删除图像内建的颜色通道,会改变图像的颜色。

11.5　通道的分离与合并

通过选择通道调板菜单中的命令,用户可以将 Photoshop 内建的颜色通道分离成独立的图像,分离后图像文件的大小将大为减小,这有助于编辑文件数据量大的图像。用户还可以将编辑后的独立图像再合并起来得到特殊的效果。

11.5.1　分离通道

选择通道调板菜单中的"分离通道"命令,可将 CMYK 模式下的图像(如图 11-23 所示)中的所有颜色通道分离成独立图像。

图 11-23

图像分离通道后,原来的图像将关闭,而分离的通道则以灰阶图像分别呈现,如图 11-24 所示。

选择分离通道命令后,用户不能再用历史调板、历史记录画笔工具等功能将其处原,所以在选择分离通道命令之前,最好将文件另存备份。

青色通道　　　　　　　　　　　　　　洋红通道

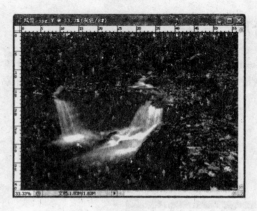

黄色通道　　　　　　　　　　　　　　黑色通道图

图 11-24　分离 CMYK 模式图像通道的结果

11.5.2　合并通道

1.合并通道

对分离通道经过编辑处理后,又可以将它们重新合并为一幅图像。

01　激活需要合并的通道灰度图像▶▶选择通道调板菜单中的"合并通道"命令▶▶打开"合并通道。"对话框,如图 11-25 所示。

02　在"合并通道"对话框中,用户可以设定通道合并的模式▶▶通道框中会显示所选通道合并模式相应的通道数量,用户也可以自己输入数值,如果输入的数值不能用于所选模式,则自动变更为"多通道"模式。

图 11-25

03　单击"确定"按钮后,则将进入下一级所选通道模式合并对话框▶▶在该对话框'中,用户可以选择合并后图像中的通道的来源通道▶▶在选择来源通道时,不能选择相同的来源通道,如图 11-26 所示。

图 11-26

04 单击"确定"按钮，即可得到合并通道后的图像。

名师点拨：

所有要合并的通道都必须是"灰度"模式，且具有相同的像素尺寸，而且必须是全部处于打开状态。

2.合并专色通道

专色通道可以和图像原有的内建颜色通道合并，合并后，专色通道中的色彩会自动合并到图像的内建颜色通道中。专色通道合并后，就不能再还原，同时也不再具备随时可换颜色的特性。合并专色通道的同时，图像中所有的图层也会合并。

选取专色通道，选择通道调板菜单中的"合并专色通道"命令，这样专色通道中的颜色就会依照与其最相近的原色数值，分别混合到每一个原色通道中。合并的复合图像反映.了预览专色信息。此外，专色通道合并的结果通常不会重现与原专色通道相同的颜色，因为 CMYK 油墨无法呈现专色油墨的色彩范围。

本章小结

本章主要介通道的概念、颜色通道、专色通道和 Alpha 通道的创建与具体的应用，熟练掌握本章内容，将会大大提高我们利用 Photoshop 进行艺术创作的能力。

过关实战

一、理论测试

1.填空题

(1)Photoshop 的通道可以分为 _____ 通道、_____ 通道和 _____ 通道 3 类。

(2)通道名称右侧的 _____ + ～ 、_____ +1 等字样为通道组合键，按下这些组合键可快速选中所指定的通道。

(3)用户通过 _____ 调板可以创建并管理通道，以及监视编辑效果。

(4)_____ 是一种特殊的预混油墨，用于替代或补充印刷色油墨。

2.选择题

(1)使用 _____ 命令可以将拼合图像分离为单独的图像。源文件被关闭,单个通道出现在单独的灰度图像的窗口。

A.分离通道　　　B.Alpha 通道　　C.合并通道　　D.拼合通道

(2)使用 _____ 命令可以将多个灰度图像合并成一个图像。某些灰度扫描仪可以通过红色滤镜、绿色和蓝色滤镜扫描彩色图像,从而生成红色、绿色和蓝色的图像。

A.分离通道　　　B.Alpha 通道　　　C.合并通道　　　D.拼合通道

(3)Alpha 通道是以 _____ 位一图像来存放用户的选取范围的,所以,在通道中只有图像的灰度变化,而没有色彩上的变化。

A.8 位、RGB 模式　　　B.16 位、灰度　　　c.16 位、RGB 模式　　　D.8 位、灰度

(4)按住 _____ 键,单击通道调板中的目标 Alpha 通道,即可将该通道转换成选区。

A.Alt　　　B.Shift　　　C.Ctrl　　　D. Ctrl+Shift

二、上机操作

打开素材文件(如图 11-27 所示),利用 Photoshop 的通道功能,将通道进行分离,然后再进行合并,并转换通道的色彩模式,制作出如图 11-28 所示的图像色彩特效。

图 11-27

图 11-28

第 12 章　色彩调整

本章导读：

当我们用扫描仪、数码相机等途径获取图像时，往往图像的品质不尽人意，这时就可以利用 Photoshop 强大的色彩调节功能来调整、修正图像缺陷。图像色彩和色相的调整也是 Photoshop 非常重要的一项功能。

本章主要介绍了图像的色彩调整、色相调整等相关内容。

技能提要：

亮度和对比度调整。
色阶调整。
曲线调整。
色彩平衡。
色相／饱和度。
变化。

12.1　亮度和对比度调整

12.1.1　调节亮度

选择【图像→调整→亮度／对比度】命令，打开"亮度／对比度"对话框(如图 12-1 所示)。"亮度／对比度"命令只是针对图像中的明暗和对比作调整，而不能分通道进行调节。

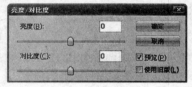

图 12-1

在"亮度，对比度"对话框中向右拖动亮度滑块，可以使图像变亮；向左拖动亮度滑块，可以使图像变暗。如图 12-2 所示即为亮度调节的前后效果。

图 12-2

选择【图像→调整→自动对比度】命令,可以自动调整图像中的高亮区域和阴影区域。该命令将图像中最暗的颜色像素用黑色代替;最亮的颜色像素用白色代替。使亮部更亮,暗部更暗。

12.1.2 调节对比度

在"亮度/对比度"对话框中向右拖动对比度滑块,可以增强图像的对比度;向左拖动对比度滑块,可以减弱图像的对比度。如图 12-3 所示即为亮度、对比度同时调整前后的效果。

图 12-3

12.2 色阶调整

色阶命令主要用于调整图像的色调范围和明暗程度,改变图像的色彩平衡,使图像达到理想的色阶和谐。

12.2.1 直方图

在 Photosh 叩的直方图调板中,图像的明暗度分布呈色阶分布,利用该色阶分布图可了解图像中亮部与暗部的分布状况,也可以查看图像某个选取区域色调的分布状况。

1.了解直方图调板

选择【窗口→直方图】命令,即可打开直方图调板(如图 12-4 所示)。利用直方图调板虽然不能改变图像的效果,但对了解图像信息,并有针对性地进行图像调整非常有用。

图 12-4

2.视图方式

直方图调板提供了 3 种各具特点的视图方式:紧凑、扩展和全部通道视图。

·紧凑视图:选择调板菜单中的"紧凑视图"命令,将打开一个不带控件和统计数据的简洁直方图调板。"紧凑视图"也是直方图的默认视图方式。

·扩展视图:选择"扩展视图"命令,可以打开带有统计数据的直方图,并且可以访 l『口]一些控件,使用这些控件可以选择以直方图表现的通道、查看直方图面板中的选项、刷新直方图以显示未缓存的数据,以及在多图层文档中选择特定的图层。

·全部通道视图:选择"全部通道视图"命令,将打开显示有各个通道的直方图,以及扩展视图中的所有选项的直方图调板。单独的直方图不包括 Alpha 通道、专色通道或蒙版。在直方图调板的"通道"下拉列表框中,可以设置要查看的内容,若选择"亮度"选项,则查看图像所有通道的色调;若选择其他选项,则表示对单一的通道查看色调分布状况。调板中间有一个直方图,该图即为色调显示的直方图,其中横轴代表像素的色调(0~255),最左侧为 0,最右侧为 255,纵轴代表像素数目。

3.查看特定通道

如果选择"扩展视图"或"全部通道视图"选项,就可以从"通道"菜单中选择一种设置。当从"扩展视图"或"全部通道视图"切换到"紧凑视图"的时候,所选择的设置.就会被记忆并显示。选择"全部通道视图"时,从"通道"菜单中选择的选项只会影响面板中最上方的直方图。

选择一个单独的通道可以显示文档中个别通道的直方图,这些通道包括颜色通道、Alpha 通道和专色通道。根据图像的色彩模式,选择 RGB、CMYK 选项可以查看所有通道的合成直方图。这是第一次选择"扩展视图"或"全部通道视图"选项时的默认视图,如果图像是 RGB 或 CMYK 模式,就可以选择"亮度"选项显示一个代表合成通道的亮度或密度值的直方图。如果图像是 RGB 或 CMYK 模式,就可以选择"颜色"选项显示一个带有各颜色通道的合成直方图。

4.以不同颜色查看通道

如果要以不同的颜色查看通道,可以在"全部通道视图"模式下,选择调板菜单中的"用原色显示通道"命令,此时在直方图调板中,将用各通道的颜色来显示。

5.显示隐藏统计数据

在直方图调板的统计数据中,可以显示图像中亮度的平均值、标准偏差、像素颜色值的中间值、图像中的像素总数、鼠标当前位置的色阶、鼠标当前位置的像素数量、图像高速缓存级别等。要隐藏统计数据,可以在直方图菜单中,取消"显示统计数据"命令即可。

6.查看用于多图层文档的选项

如果文档有多个图层,就可以从"源"下拉列表框中选择一种设置。当选取"整个图像"项时,将显示包含所有图层的整个图像的直方图;选取"选中的图层"项时,可以显示图层面板中被选中的图层的直方图;选取"复合图像调整"项时,可以显示图层面板中被选中的调整图层的直方图,这其中包括处于该调整图层下的所有图层。

当直方图是从缓存数据中读取,而非从文档的当前状态中读取时,直方图调板中就会出现"缓存数据警告"图标。使用图像缓存,直方图的显示不仅更快,而且是基于图像中具有代表性的像素样本。该选项的启用及缓存级数(从 2 ~ 8)的设定可在【编辑→首选项→内存与图像高速缓存】命令中完成。若想刷新直方图,使它显示原始图像当前状态下的所有像素,可以按照以下方法进行:

- 在直方图中双击任意处。
- 单击"缓存数据警告"图标。
- 单击"未缓存的刷新"按钮。
- 从直方图扩展菜单中选择"未缓存的刷新"命令。

12.2.2 色阶调整

"色阶"命令是通过调节色彩的明暗度来改变图像的明暗及反差效果。色阶是指颜色的强弱,共分为 256 个等级(0 ~ 255),0 最弱,255 最强。选择【图像→调整→色阶】命令(组合键【Ctrl+L】),在打开的"色阶"对话框(如图 12-5 所示) 中可以用拖动滑块或输入数值的方式来调整输入或输出的色阶值来调节图像或选定通道的明暗度。

在色阶对话框"通道"下拉列表框中,用户可以选择需要调节的通道名称。同一张图像,不同的通道中会有不同的色阶分布图,针对选定通道调节;可以不影响其他通道的色阶分布,但对任何一个通道的调节,都会改变原图像的效果。

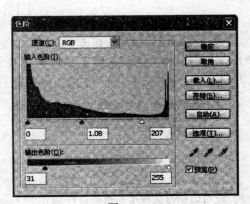

图 12-5

1.输入色阶

拖动输入色阶滑杆上的暗部或亮部滑块,可以使图像中最深的颜色变得更深,最浅自颜色变得更浅。默认情况下,输入色阶中增加暗部框中最深颜色值为0,如果输入50,贝图像中低于50的色阶值的颜色都变成最深的颜色;如果在增加亮部框中修改最浅颜色值为233,则图像中高于233的色阶值的颜色都变成最浅的颜色。

2.输出色阶

输出色阶可以设定图像的明暗度的范围。通过输出色阶的调整,用户可以限定图像中最深的颜色和最浅的颜色。如用户将0值的最深颜色值调整为50,则图像中最深的颜色像素会被映射为该值的颜色。

· 载入:单击该按钮能载入外部的色阶。
· 存储:单击该按钮能保存调整好的色阶。
· 自动:单击该按钮可对图像色阶做自动调整。
· 选项:单击该按钮,则会打开"自动颜色校正选项"对话框。
如图12-6所示即为利用色阶对话框对图像中过暗的区域进行"变亮"的前后效果。

图 12-6

名师点拨:

如果对目标对象的色阶节的效果感到不满意,可以按住【Alt】键,这时"色阶"对话框中"取消"按钮则变为"复位"按钮,单击该按钮,即可恢复图像的原始状态。该方法同时也适用于所有具有"取消"按钮的 Photoshop 对话框。

12.3　曲线调整

与"色阶"命令一样,"曲线"命令也可以调整图像的色调范围,不过"曲线"命令对图像的调节更精细,它不仅能使用高光、阴影和中间调3个变量来进行调整,还可以调整0~255范围内的任意点,甚至可以变换图像的色相。因此,"曲线"命令是:Photoshop 中最为出色的色调调整工具。

12.3.1　了解曲线调整

选择【图像→调整→曲线】命令(组合键【Ctrl+M】),即可打开"曲线"对话框,如图12-7所示。

1.通道

在"通道"下拉表框中,用户可以选择所要调整的目标通道。当目标图像的某一通道色调明显偏重时,就可以通过选择单一通道进行调节,而不会影响其他通道的色调分布。

2.曲线图

以"曲线"对话框曲线图中的水平轴为输入色阶,垂直轴为输出色阶,曲线代表了输入色阶和输出色阶的对应关系。用户可以在曲线上添加多个控制点,然后用鼠标单击控制点并拖动,就可以改变图像的效果。如图 12-8 所示即为通过"曲线"对话框对图像进行阴影、明暗度调整前后的效果。

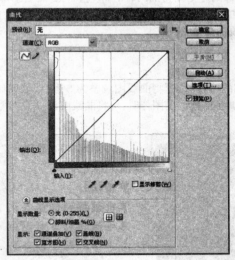

图 12-7

图 12-8

名师点拨:

在"曲线"对语框中按住【Alt】键,在曲线图中的网格上单击鼠标左键,可以切换网格格线的疏密。按下【Shift】键,甩户可以选择曲线上的多个控制点进行移动。选择曲线上的控制点后,按下【Delete】键,可以删除该控制点。

3.铅笔工具

使用铅笔工具,可以直接在网格中单击鼠标并拖动绘制色调曲线,就像用铅笔在纸上画线一样,因此利用铅笔工具可以做出更多的变化。用铅笔绘制出色调曲线后,再单击"曲线"对话框中的"平滑"按钮,即可使绘制的曲线平滑。

4.明亮度控制杆

明亮度控制杆表示曲线图像中明暗度的分布方向,而明暗度的表示方式又分为明亮度的数值(0～255)和墨水浓度(0%～100%)两种。在调整过程中可以在两种使用方式中切换,切换时只要在控制杆左或右边单击一下即可。默认状态下,控制杆代表的颜色是从黑到白,即从左到右输入值逐渐增加,从下到上输出值也逐渐增加。当图像向左上角弯曲时,图像颜色变亮;而当图像向右下角弯曲时,图像颜色变暗。当切换至墨水浓度时,控制杆代表的颜色是从白到黑,当图像向左上角弯曲时,图像颜色变暗;而当图像向右下角弯曲时,图像颜色变亮。

12.3.2 调整色偏

利用"曲线"调整平均色调的图像时,可将曲线图调整为 S 形,以使暗区更暗,亮区更亮,使图像对比明显(如图 12-9 所示)。而要调整低色调的图像时,可将曲线图设置为稍稍向上的凸形,以使图像各色调区按比例被加亮。

图 12-9

12.4 色彩平衡

色彩平衡可以更改图像的总体颜色混合,但该命令主要用于对普通色彩的调整。

12.4.1 色彩平衡设置

色彩平衡命令可以在彩色图像中改变颜色的混合来校正色偏。选择【图像→调整→色彩平衡】命令(组合键【Ctrl+B】),打开,色彩平衡"对话框,如图 12-10 所示。

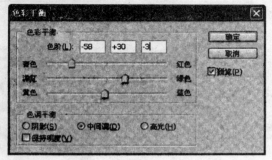

图 12-10

在"色彩平衡"对话框下方的"色调平衡"选项框中有阴影、中间调和高光 3 个单选项。利用这 3 个单选项,用户可以设定需要调节哪一个色阶的像素。勾选"保持亮度"复选框,则可以防止在更改颜色时更改图像的亮度值,通过勾选此项可保持图像中的色调平衡。每一条滑动杆两端的颜色互为一组互补色,当用户将滑块向一端拖动时,在该端颜色值增加的同时,必然减少另一端的颜色值。

12.4.2　调整色偏

打开目标图像(如图 12-11 所示),选择【图像调整→色彩→平衡】命令,在打开的"色彩平衡"对话框中勾选"中间调"复选框,然后拖动对话框中的滑块进行色彩调整(如图 12-12 所示),单击"确定"按钮,即可得到如图 12-13 所示的色彩平衡效果。

图 12-11

图 12-12

图 12-13

12.5　色相 / 饱和度

"色相,饱和度"命令可以对整个图像、单一通道或选区范围中的图像进行色相、饱和度和明度的调整。另外,勾选"着色"复选框时,图像颜色即可变为前景色的色相。

12.5.1　色相、饱和度和明度调节

1.色相,饱和度对话框

选择【图像→调整→色相 / 饱和度】命令(组合键【Ctrl+u】),即可打开"色相 / 饱和度"对话框,如图 12-14 所示。

拖动"色相"滑动杆上的滑块,可以更改所选颜色范围的色相,色相的调节范围是 -180 ~ +180。将"饱和度"滑动杆上的滑块向右拖动,可以增强所选颜色范围的饱和度;向左拖动,则可以降低所选颜色范围的饱和度,饱和度的调节范围是 -100 ~ +100。将"明度"滑动杆上的滑块向右拖动,可以提高所选颜色范围的亮度;向左拖动,则可以降低所选颜色范围的亮度,调节范围是 -100 ~ +100。

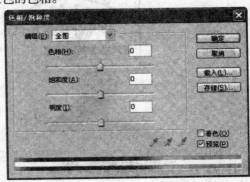
图 12-14

2.色相、饱和度调整

下面我们将利用色相 / 饱和度命令将如图 12-15 所示水果中的红色向黄色转变。

01　打开目标图像▶▶然后选择【图像→调整→色相 / 饱和度】命令(组合键【Ctrl+C】),在打开的"色相 / 饱和度"对话框中的"编辑"下拉列表框中选择"红色"项,然后拖动色相滑块,如图 12-16 所示。

图 12-15

02 单击"确定"按钮,即可得到如图 12-17 所示的色相调整效果。

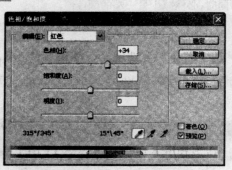

图 12-16　　　　　　　　　　　　图 12-17

12.5.2　着色

　　勾选对话框中的"着色"复选框,可以将图像的颜色转化为前景色色相,拖动调整滑块,又可以改变图像的单一色相。因此利用"着色"功能,可以将选区内的所有颜色统一为一种色相,如图 12-18 所示。当勾选"着色"复选框后,"编辑"下拉列表框将处于不可编辑状态。

图 2-18

12.6　通道混合器

　　利用"通道混合器"对话框,可以创建高品质的灰度图像、棕褐色调图像或其他色调图像。也可以对图像进行创造性的颜色调整。

12.6.1　通道混合器的作用

　　选择【图像→调整→通道混合器】命令,打开"通道混合器"对话框(如图 12-19 所示),通过改变该对话框中的某一通道颜色,并混合到主通道中产生合成的效果。不过,通道混合器命令只能应用于 RGB 模式和 CMYK 模式的图像。

1.输出通道

　　在输出通道下拉列表中,用户可以选择一个通道作为结果通道(将在该通道中混入一个或多个通道)。

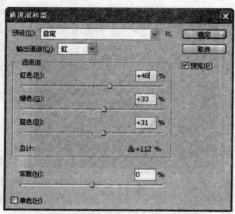

图 12-19

2.源通道

用鼠标将源通道栏中任一通道滑动杆上的滑块向左拖动将减少该颜色通道在输出通道中所占的百分比;向右拖动,将增加该颜色通道在输出通道中所占的百分比。

源通道中的数值变化范围为 –200 ~ +200,当使用负值时,会使源通道反向,再添加到输出通道中。

3.常数

拖动常数滑动杆上的滑块,可以调节通道的不透明度,并将其添加到输出通道,其调节范围是 –200 ~ +200,负值作为黑色通道,正值作为白色通道。

4.单色

勾选该复选框,会对所有输出通道应用相同的设置,来创建只包含灰色值的彩色图像。

12.6.2 通道混合器的使用

打开目标图像(如图 12–20 所示),选择【图像→调整通→道混合器】命令,在打开的"通道混合器"对话框的"输出通道"下拉列表框中选择"红",在"红色"数值框中输入"+69""绿色"数值框中输入"+57",在"蓝色"数值框中输入"+24%"如图 12–21 所示,单击"确定"按钮,即可得到如图 12–22 所示的效果。

图 12-20

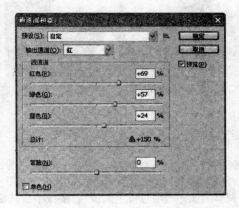

图 12-21

图 12-22

12.7　反相与阈值

通过反相命令可反转图像的颜色和色调。而阈值命令可以将彩色灰阶图像转变为高反差的黑白图像。

12.7.1　图像反相

"反相"调整命令可以单独对图层、通道、选取范围或者是整个图像进行调整，若连续选择两次"反相"命令，则图像将被还原为初始状态。

通过使用反相命令，用户可以将一幅黑白图像转换为阴片(如图 12-23 所示)，也可以将扫描的黑白阴片转换为它的正片。彩色胶片不能通过反相命令转换为其正片效果，因为彩色胶片的基底中包含了一层橙色的遮膜。

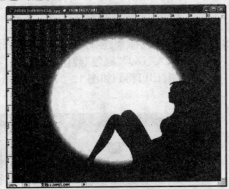

图 12-23

12.7.2　阈值

"阈值"命令可以将彩色或灰阶图像转变为高反差的黑白图像(如图 12-24 所示)。选择【图像→调整→阈值】命令，在"阈值"对话框中拖动直方图上的滑块或在阈值色阶中输入数值来设定高反差的基准，调整图像。当用户设定阈值后，图像中所有比该阈值亮的颜色像素被转变为白色，比该阈值暗的颜色像素被转变为黑色。所以阈值越大，图像中的黑色像素分布越广。

图 12-24

12.8 变化

变化命令可以直观地调整图像或选取范围的色彩平衡、对比度和饱和度。该命令最适合那些不需要精确色彩调整的平均色调图像,但不能应用于索引色模式和 Lab 模式图像。

12.8.1 变化对话框

选择【图像→调整→变化】命令,打开"变化"对话框。Photoshop cs3 还为用户提供了另一种快速选取前景色或背景色的工具—色板调板。在色板调板中各种颜色以矩形颜色块排列,并且这些颜色都是预设好的,将光标在颜色块上停留几秒,即可显示出该颜色块的名称,如图 12-25 所示。

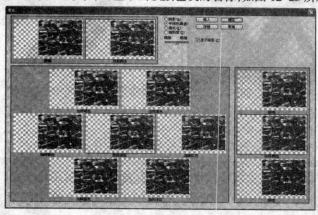

图 12-25 "变化"对话框

在"变化"对话框的上方,显示了原稿和当前图像效果。如果对调整不满意,可以单击原稿,再重新调整。在对话框的左下方区域中显示了各种颜色的缩略图,单击颜色的缩略图可以添加该颜色,要减少某颜色,可以添加与其相反的颜色。在对话框的右下方区域中可以添加亮度和暗度。对话框左下方区域中间的缩略图即为调整的最终结果。

以下即为"变化"对话框的各项说明。

· 阴影、中间色调、高光:指是否需要调整暗、中间或亮区域。

· 饱和度:用来更改图像中的色相度数。

· 精细/粗糙滑块:用来设定每次调整的数量。将滑块移动一格,可以使调整数量双倍增加。

· 显示修剪:可以显示溢色区域(图像中超出色彩模式所能显示的部分),勾选该项,当某颜色产生溢色,将自动降低该颜色的对比度;不勾选该项,将不对溢色作处理。

12.8.2 颜色变化

下面我们将利用变化命令,对如图 12-26 所示的图像进行添加"红色"和"黄色"的颜色变化。

01 打开目标图像▶▶然后选择【图像→调整→变化】命令,在打开的"变化"对话框中分别各单击两次"加深黄色"和"加深红色"选项,如图 12-27 所示。

02 单击"确定"按钮,即可得到如图 12-28 所示的颜色变化效果。

图 12-26

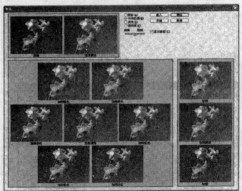

图 12-27

图 12-28

12.8.3　亮度变化

下面我们将利用变化命令，对如图 12-29 所示的图像进行"亮度变化"。

01　打开目标图像▶▶然后选择【图像→调整→变化】命令，在打开的"变化"对话框中单击"原稿"项后，然后单击"较亮"选项，如图 12-30 所示。

02　单击"确定"按钮，即可得到如图 12-31 所示的亮度变化效果。

图 12-29

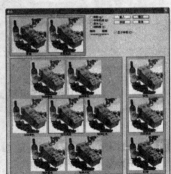

图 12-30

图 12-31

本章主要介绍了 Photoshop 中图像色彩调整的众多命令，通过这些色彩调整命令可以使那些色彩上不令人满意的图像达到我们的要求。

过关实战

一、理论测试

1.填空题

(1)色彩平衡仅适用于图像的粗略调整,要精确调整则需用 _____ 命令来完成。

(2)色阶是指颜色的强弱,共分为 _____ 个等级,其中 0 最弱, _____ 最强。

(3)_____ 命令不仅可以通过高光、阴影、中间调来调整图像,还可以调整一范围内的任意点。因此,该命令是 Photoshop 中最为出色的色调调整工具。

(4)勾选"色相/饱和度"对话框中的 _____ 项,图像颜色即可变为前景色的色相。

(5)_____ 命令可以将彩色或灰阶图像转变为高反差的黑白图像。

2.选择题

(1)通过 _____ 命令可以给一个由灰度模式转换成 RGB 模式的图像着色。

A.色阶　　　B.曲线　　　C.色相,饱和度　　　D.色彩平衡

(2)通过 _____ 命令可以增加图像的对比度。

A.亮度/对比度　　　B.变化　　　C.色相/饱和度　　　D.色彩平衡

(3)使用"反相"命令,原亮度值为 125 的像素,经过反相之后其亮度值为 _____。

A.255　　　B.130　　　C.85　　　D.62.5

(4)通过 _____ 命令,我们可以将一幅黑白图像转换为阴片,也可以将扫描的黑白阴片转换为它的正片。

A.阈值　　　B.黑白　　　C.反相　　　D.色阶

二、上机操作

打开素材件(如图 12-32 所示),利用 Photoshop 的色彩调整知识,给没有彩色的灰度图像人物进行上色,效果如图 12-33 所示。

图 12-32

图 12-33

第13章　滤镜

本章导读：

　　滤镜功能是 Photoshop 中最奇妙的部分，它能够为我们的图像添加意想不到的特殊效果，让用户拥有更广阔的设计空间。不过神奇的滤镜并不能替代我们的创作思维，要想成为一个 Photoshop 高手，只有苦练基本功，灵活运用 Photoshop 各功能才是硬道理，而不是将过多精力花费在滤镜上。

　　本章主要介绍了 Photoshop 的各种滤镜命令、滤镜库和图案发生器等内容。

技能提要：

　　滤镜菜单和滤镜对话框。

　　滤镜库和图案发生器。

　　抽出和液化。

　　风格化滤镜、画笔描边、模糊滤镜、扭曲滤镜、锐化、视频、素描、纹理、像素化、渲染、艺术效果、杂色及其他。

13.1　认识滤镜

　　对于很多新手来讲，滤镜也许是自己对 Photoshop 产生兴趣的重要原因。因为滤镜能够在转瞬间神奇地将一张平淡的图像变成一幅蒙胧、梦幻的抽象画。尽管滤镜有着如此大的魔力，但绝不能让它主导了我们的设计思维，因为一个 Photoshop 高手是不会在滤镜上花过多时间的，灵活运用 Photoshop 的各种功能才是可行之道。

13.1.1　滤镜菜单

　　Photoshop CS3 滤镜菜单中包含了各种效果命令，几乎在每一个滤镜菜单命令下都包含一个子菜单（如图 13-1 所示）。在滤镜菜单中最上面一项将显示用户最后一次使用的滤镜命令，选择该命令即可重复选择上一次使用的滤镜效果。

图 13-1

不过,Photoshop 的滤镜命令不能运用在位图、索引色和 16 位通道等模式的图像上,并且有些滤镜命令只能运用于 RGB 模式的图像。另外,如果没有创建图像选区,那么滤镜效果将将应用于当前图层的所有图像。

13.1.2   滤镜对话框

选择滤镜命令,即可打开相应的滤镜对话框(如图 13-2 所示)。现在我们先来了解一下滤镜对话框的基本设置方法。

图 13-2

1.预览框

有些滤镜对话框中提供了预览框,单击鼠标左键,在预览框中拖动可以改变预览区域。单击预览框下面的"+"、"-"按钮,可以缩放预览图像。如果对话框中包含了预览选项,勾选预览项,可以在图像窗口中预览滤镜效果。

2.文本输入框

可以直接在对话框中的文本输入框中输入数值,来设定滤镜的参数。

3.滑杆

拖动滑杆上的滑块,也可以设定滤镜的参数。

4.选项

对话框中选项前的圆形选框为单选按钮,方形选框为复选框。

13.2   滤镜库和图案生成器

利用滤镜对话框可在不执行其他滤镜命令的情况下,对目标图像完成多种滤镜的设置,并且通过创建效果层,还可以在不损害原图的情况下,得到滤镜效果。

13.2.1   滤镜库

滤镜库中提供了多种滤镜效果的预览。利用滤镜库可以同时应用多个滤镜、打开或关闭滤镜的效果、复位滤镜,以及更改应用滤镜的顺序。选择【滤镜→滤镜库】命令,通过打开的"滤镜库"命令可对目标图像进行风格化、画笔描边、扭曲、素描、纹理和艺术效果等多种滤镜设置,在设置滤镜的同时,通过对话框右侧的预览框还可预览到所应用滤镜的效果(如图 13-3 所示)。单击"滤镜库"对话框右下角的"新建效果图层"按钮,即可创建一个应用滤镜的效果图层。

图 13-3

13.2.2 图案生成器

"图案生成器"可根据选区或剪贴板内容创建无限多种图案(如图 13-4 所示)。由于图案是基于样本中的像素,因此它与样本具有相同的视觉特性。例如,如果采集"花"的图像样式,"图案生成器"就会生成一个可拼贴的图案,该图案虽然与原图案有所不同,但整体看起来仍然是"花"。

图 13-4

"图案生成器"可通过重排样本区域中的像素来创建拼贴以生成图案。拼贴的尺寸可以不同,例如 1 × 1px 或当前图层的尺寸等。如果拼贴比当前图层小,则图案由布置在网格中的以填充图层的多个拼贴组成。如果拼贴与现用图层的大小相同,则它组成整个图案。

以下即为图案生成器对话框各选项的简单说明。

·矩形选框工具:用于选择要生成图案的区域。

·缩放工具:可用于放大视图。

·抓手工具:视图超过预览窗口时可用于移动图像,以查看局部。

·拼贴生成:在此设置框中可设置生成图案的拼贴尺寸。

·预览:在此栏中可以设置在预览窗口中显示的原稿或效果,也可以勾选"拼贴边界"复选框来显示拼贴的边界。

·拼贴历史记录:在该设置框中可选择生成的拼贴;也可以将当前显示的拼贴存储为预设图案;也可以将不需要的拼贴删除,只需要单击相应的按钮即可。

13.3 抽出和液化

对于创建诸如毛发、树枝等复杂、精细的选区,利用颜色范围、通道,虽然也可以完成,但总体上说,操作过于复杂,对初学者来说比较困难。为此,Photosh6p 专门提供了一种针对此类复杂选区的滤镜命令——抽出。而利用"液化"命令,则可使图像局部任意扭曲、变形。

13.3.1 抽出

1.了解抽出对话框

选择【滤镜→抽出】命令,即可打开"抽出"对话框(如图 13-5 所示)。通过该对话框可快速、精确地将诸如毛发、树枝等具有复杂、细小的实心或空心物体与背景图像分离出来,并且在分离后还会自动将背景去除,变为透明区域,同时将该图像由先前的背景图层转换为普通图层。以下即为"抽出"对话框选项的简要介绍。

图 13-5

·边缘高光器 ✎:用该工具勾画出要抽出的对象边缘。根据边缘的特点,边缘明显的区域可以用宽度较小的高光覆盖,边缘比较复杂的区域可以用宽度较大的高光覆盖。

·填充工具 ◇:使用边缘高光器勾选好对象边缘后,用填充工具在对象上单击以填充对象,填充好后可选择预览,就可以预览抽出的效果。

·橡皮擦工具 ✐:利用该工具可以对勾画出的高光边缘进行清除或修饰。对于多出的边缘可以用该工具清除,如果清除多了,还可以用高光边缘工具补充。

·吸管工具 ✐:该工具用于在图像上吸取前景色。

·清除工具 ✐:单击"预览"按钮时该工具成为活动可用状态,用它可以清除不必要的边缘。

·边缘修饰工具 ✐:在预览框中使用该工具可将模糊的边缘变得清晰、圆滑。

· 抓手工具 ：当图像大小超出预览框时，用它可以调整视图位置，以便观察。

· 缩放工具 ：可以任意局部缩小或放大图形，按【Alt】进行切换。

· 工具选项：在该栏中可以设置画笔大小、高光颜色、填充颜色以及是否使用"智能高光显示"。其中"画笔大小"指定边缘高光器、橡皮擦、清除和边缘修饰工具的宽度；"高光"选择一个预置颜色或选择"其他"，指定高光的自定颜色；"填充"选择一个预置颜色或选择"其他"，指定由填充工具覆盖的区域的自定颜色；"智能高光显示"帮助用户保持边缘的高光，并应用刚好覆盖住边缘的高光，不论当前画笔的大小是多少。

· 抽出：如果对象内部定义得很精确，则在对话框中选择填充工具。在对象的内部单击以填充对象的内部。如果对象特殊或内部不清晰，则需确保高光覆盖整个对象，然后选择"强制前景"选项。在对话框中选择吸管工具，然后在对象内部单击以对前景色进行取样，或在"颜色"方块中点击使用拾色器选择前景色。该技术最适合包含单色调的对象。

· 预览：此栏控制预览的模式。在"显示"下拉列表中可以选择"抽出的"或"原稿"，从而可在原图像与抽出图像之间切换。在"效果"下拉列表中可以选取预置颜色或其他颜色，从而寸以在彩色杂边背景上或者作为灰度蒙版时预览到抽出的效果。如果要显示透明背景，则选择"无"项。

2.实心物体的抽出

抽出功能必须针对图层进行，它保留要抽出的物体，将其余部分变为透明。下面将利用抽出滤镜把如图 13-6 所示中的人物与背景分离开来。

01 打开美女图像，选择【滤镜→抽出】命令（组合键【Alt+Ctrl+X】）▶▶在打开的"抽出"对话框中单击"边缘高光器"工具按钮 ，并在"工具选项"区域中设置"画笔大小"数值为 50。

02 用画笔沿着美女的头发、身体等边界上涂抹(如图 13-7 所示)▶▶在涂抹时，绿色的颜料应同时覆盖边界内和边界外的像素点▶▶在涂抹身体等轮廓分明对象时，则可用小画笔；对于头发等对象，则用较大的画笔。在"抽出"列表框中清除"强制前景"复选框▶▶然后单击"填充工具"按钮 ，

图 13-6

图 13-7

03 在物体内单击鼠标，绘制填充的区域(如图 13-8 所示)。对于"实心的"物体，使用"填充"的方法可以设定物体内部的区域，以利于 Photoshop 区分对象及其背景。

图 13-8

04 单击"预览"按钮,即可预览到抽出的效果(如图 13-9 所示)▶▶单击"确定"按钮,即可得到抽出的美女图像,如图 13-10 所示。

图 13-9

图 13-10

抽出命令的操作相当简单,仅需几个步骤,就可得到非常好的去除背景的效果。在实际操作中,还可以将"抽出"命令与背景橡皮擦工具结合起来,以达到最佳的效果和最高的工作效率。

3.中空物体的抽出

对于一些中空的物体(例如,树木、花草等)抽出操作与实心物体有所不同,下面将通过从如图 13-11 所示的背景中抽出"树"的图像,来进一步了解"抽出"命令的使用方法。

01 打开目标图像,选择【滤镜→抽出】命令,在"抽出"对话框中选取边缘高光器工具，设置画笔大小为50,然后在"树"上进行涂抹,直到完全将树覆盖,如图 13-12 所示。

图 13-11

图 13-12

02 在"抽出"列表框中勾选"强制前景"复选框。选择吸管工具 在树上吸取颜色，单击"预览"按钮，观察抽出效果(如图 13-13 所示)。单击"确定"按钮即可抽出"树"图像，如图 13-14 所示。

图 13-13

图 13-14

用"抽出"功能虽说可以很容易地提取图像，但其效果差强人意，被提取的图像细节丢失严重。要想有好的图像提取效果，建议采用诸如选取相似、色彩范围、应用图像和计算等命令来完成，因为这些命令能很好地保留原图像中的很多细节。

13.3.2 液化

液化命令可用于交互式拼凑、推、拉、旋转、反射、折叠和膨胀图像的任意区域。用户的扭曲可以是细微的或是剧烈的，以此达到创建强烈的艺术效果的目的。

1.变形图像

打开目标图像，选择【滤镜→液化】命令(组合键【stlift+cm+x】)，在打开的"液化"对话框中选择变形工具后，在需要变形的图像局部上面单击鼠标左键，或者用鼠标来回涂抹，即可将该区域的图像液化变形，如图 13-15 所示。

2.还原图像

所有变形工具对图像的变形都可以再用重建工具 复原，在使用重建工具时，可以通过对话框中"重建选项"设置项中的选项来还原图像的步骤。

图 13-15

13.4 风格化滤镜

"风格化"滤镜通过查找图像中高对比度的像素,并将这些像素突显处理,来加强边缘轮廓,从而产生强烈的凹凸或边缘效果。

13.4.1 查找边缘

"查找边缘"滤镜用来查找颜色对比强烈的图像边界,将高反差区域变为亮色,低反差区域变为暗色,标出图像中有明显过渡的区域,并使边缘强化,如图 13-16 所示。

图 13-16

13.4.2 等高线

用"等高线"滤镜查找主要亮度区域中的过渡色,并用细线勾画每个颜色通道中的像素,得到与等高线图相似的效果。

13.4.3 风

"风"滤镜在图像中创建出水平线来模拟风吹的效果,在"风"对话框中可选择风的类型和风向。

13.4.4 浮雕效果

"浮雕效果"滤镜分离图像中的亮度区域和暗部区域,形成突出或凹陷的效果,并将图像中的填充颜色转换为灰色。

13.4.5 过度曝光

"过度曝光"滤镜能产生混合正片和负片的图像效果,与在冲洗过程中将照片简单曝光而加亮的效果相似。

13.4.6 扩散

"扩散"滤镜通过置换图像边缘的颜色像素,使图像边缘产生抖动的效果。打开目标图像,选择【滤镜→风格化→扩散】命令,在打开的"扩展"对话框中设置扩展的模式,单击"确定"按钮,即可完成扩散滤镜。

13.4.7 拼贴

"拼贴"滤镜将图像分割成小块,就像做拼图游戏的效果。选择【滤镜→风格化→拼贴】命令,在"拼贴"对话框中可设置拼贴的数量、最大位移、填充空白区域等项,如图13-17所示。以下即为"拼贴"对话框各选项的简要介绍。

图 13-17

·拼贴数:分割图像的数目。
·最大位移:拼贴块错位的距离。
·填充空白区域:可以用前景色、背景色、反选图像(图像的反相)和未变的图像来填充拼贴块错位产生的空白区域。

如图13-18所示即为拼贴滤镜前后的比较效果。

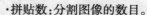

图 13-18

13.4.8 凸出

"凸出"滤镜将图像转换成一系列的三维立方体或锥体,以此来产生特殊的三维效果。在"凸出"对话框中可设置凸出的类型、大小和深度等项,如图13-19所示。

以下即为"凸出"对话框各选项的简要介绍。

·类型:块方式将创建立方体来替换图像;金字

图 13-19

塔将创建锥体来替换图像。

- 大小:该项的数值确定创建立方体或锥体的大小。
- 深度:表示最高的立方体或锥体对象凸出的距离。"随机"项给予每个对象一个任意深度;"基于色阶"项使每个对象的深度与其亮度对应,其效果是亮处比暗处更加凸出。
- 立方体正面:勾选该复选框,在创建立方体时用图像的平均值颜色像素填充立方体的正面;不勾选该复选框,在创建立方体时直接用图像填充立方体的正面。
- 蒙版不完整块:勾选该复选框,可以隐藏延伸到选区以外的对象。

13.4.9 照亮边缘

"照亮边缘"滤镜可以加强图像边缘的过渡像素,来勾画图像的边缘,得到类似霓虹灯的发光效果。在"照亮边缘"对话框中的"边缘宽度"数值框中输入的数值越大,边缘线条就越宽;"边缘亮度"数值将确定边缘线条的对比度,值越大,线条越亮,霓虹灯效果更强烈;"平滑度"选项确定边缘线条的平滑,值越大,线条越平滑,但图像轮廓就越不精确。

13.5　画笔描边

"画笔描边"命令子菜单中包含了8种滤镜效果。一般用"画笔描边"命令子菜单中的滤镜来制作线条的绘图效果,使图像具有手绘的感觉。

13.5.1 成角的线条

"成角的线条"滤镜使用对角线描绘图像,图像中较亮的区域用一个方向的线条绘制,较暗的区域用相反方向的线条绘制,如图13-20所示。

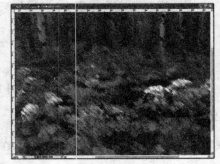

图 13-20

在成角的线条滤镜对话框中,可以设定方向平衡、线条长度和清晰度等选项。

13.5.2 墨水轮廓

"墨水轮廓"滤镜在图像原有细节上用精细的线条重新描绘图像,产生蚀刻画的效果,如图13-21所示。

13.5.3 喷笔

"喷笔"滤镜可以使图像产生笔墨喷溅的效果。喷色半径值越大,喷溅效果越强。

13.5.4 喷色描边

"喷色描边"滤镜的效果与"喷笔"滤镜相似,所不同的是"喷色描边"滤镜可以通过线条长度的设定来产生较强的笔触,还可以选择描边产生的方向。

图 13-21

13.5.5 强化的边缘

"强化的边缘"滤镜可以查找图像中的高对比区域,并通过添加亮色或深色的边界使,图像边缘突出。

13.5.6 深色线条

"深色线条"滤镜用短而密的深色线条描绘图像中的深色区域,用长的浅色线条描绘图像中的亮色区域。该滤镜效果可以产生强烈的深色阴影,如图 13-22 所示。

图 13-22

13.5.7 烟灰墨

"烟灰墨"滤镜可以模仿用毛笔饱含黑色墨水在宣纸上绘画的效果,产生黑色而柔和的模糊边缘。

13.5.8 阴影线

"阴影线"滤镜模拟铅笔添加纹理,产生交叉网状的笔触效果。

13.6　模糊滤镜

"模糊"滤镜通过将图像中对比清晰的区域边缘的邻近像素平均而产生平滑的过渡效果,一般用来修饰图像。使用模糊滤镜后的图像效果类似于图片焦距不清晰所至的结果。

13.6.1 动感模糊

"动感模糊"滤镜使图像中的像素按照一定的方向产生线性位移,产生沿某一方向运动的模糊效果,可以模拟用固定曝光时间给运动的物体拍照的效果。

13.6.2 表面模糊

"表面模糊"滤镜可使图像的表面以一定的半径、阈值和色阶范围产生出模糊的效果。

13.6.3 高斯模糊

"高斯模糊"滤镜是利用高斯曲线(Photoshop 对像素进行加权平均时所产生的峰形曲线)的分布模式来添加低频率的细节而产生朦胧效果,可自由控制模糊程度,如图 13-23 所示。

图 13-23

13.6.4 径向模糊

"径向模糊"滤镜有"旋转"和"缩放"两种模糊方法(如图 13-24 所示)。旋转方式围绕一个中心形成旋转的模糊效果;缩放方式以模糊中心向四周发射形成模糊效果。

以下为径向模糊对话框各选项的简要说明。

·中心模糊:用鼠标在中心模糊示意框中单击,就可设定模糊的中心。

·数量:设定径向模糊的程度,值越大,效果越强烈。

·品质:模糊品质有原图、好和最好 3 种效果。选择"原图"项,在模糊时产生颗粒效果;"好"和"最好"项产生比较平滑的模糊效果。如图 13-25 所示的图像即为径向缩放模糊滤镜前后的效果。

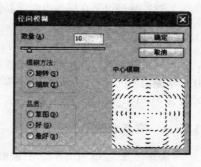

图 13-24

图 13-25

13.6.5 模糊和进一步模糊

"模糊"滤镜可以消除图像中有明显颜色变化处的杂色,对过于清晰或对比过于强烈的边缘有柔化的作用。和"进一步模糊"滤镜所产生的效果基本相同,但"进一步模糊"滤镜比"模糊"滤镜的程度更强烈。

13.7 扭曲滤镜

"扭曲"滤镜组可以使图像产生扭曲、变形的效果,例如,旋涡、挤压、水波纹等。

13.7.1 波浪

"波浪"滤镜通过控制波长与波幅来调整图像起伏的大小,模拟海浪的效果,如图 13-26 所示。

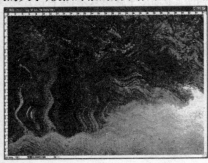

图 13-26

13.7.2 波纹

"波纹"滤镜也是在图像上剑建起伏的效果,其效果比波浪更柔和。

13.7.3 玻璃

"玻璃"滤镜可以产生透过玻璃观看图像的效果。在对话框中,调整扭曲和平滑度,可以平衡扭曲和图像质量之间的矛盾。用户可以选择不同的纹理类型,也可载入自己定义的纹理,但必须把自定义的纹理存储为 *.PSD 格式的文件。

13.7.4 海洋波纹

"海洋波纹"滤镜使用方法与"波浪"滤镜相似,也通过波纹大小和波纹幅度来控制图像效果。

13.7.5 极坐标

"极坐标"滤镜可将图像从直角坐标转换为极坐标,或从极坐标转换为直角坐标。

图 13-27

13.7.6 挤压

"挤压"滤镜可以将图像向内或向外挤压。当挤压值为负值时将向外挤压;为正值时将向内挤压,如图 13-27 所示。

13.7.7 扩散亮光

"扩散亮光"滤镜可以给图像添加透明的白色杂色,产生发光效果。

13.7.8 切变

"切变"滤镜可以将图像沿用户所设置的曲线进行变形,产生扭曲的图像。

13.7.9 球面化

"球面化"滤镜可以使图像在各个方向进行变化,产生球形三维效果。

13.7.10 水波

"水波"滤镜可以径向地扭曲图像,产生类似湖水中泛起涟漪的效果,如图 13-28 所示。

图 13-28

13.7.11 旋转扭曲

"旋转扭曲"滤镜可以将图像沿中心进行变形,产生强烈的扭曲旋转变形效果。

13.7.12 置换

"置换"滤镜是用被称为"置换图形"的图像来确定如何扭曲原图像,从而产生不定方向的位移效果。下面对如图 13-29 所示的蝴蝶图像与如图 13-30 所示的水珠底纹图像进行置换。

01 首先打开蝴蝶图像▶▶然后选择【滤镜→扭曲→置换】命令,即可打开"置换"对话框。

图 13-29   图 13-30

02　在"置换"对话框中设置水平比例、垂直比例为"50"、置换图选项设置为"拼贴"、未定义区域为
"拆回",如图 13-31 所示。

03　单击"确定"按钮▶▶在打开的"置换"对话框中选择要置换的 *.psD 格式文件,例如,水珠底纹
图像,如图 13-32 所示。

04　单击"打开"按钮,即可得到如图 13-33 所示的置换滤镜效果。

图 13-31

图 13-32

图 13-33

13.8　锐化

"锐化"命令子菜单中的滤镜是通过增加相邻像素的对比度来减弱或消除图像的模糊,丛而获得清晰的图像。

13.8.1　USM 锐化

"USM 锐化"滤镜可以调整图像边缘的对比度,并在边缘的每侧制作一条更亮或更暗的线条,产生更清晰的图像。

13.8.2　进一步锐化

"进一步锐化"滤镜比"锐化"滤镜的效果更加显著,可以使图像更加清晰。

13.8.3　锐化

"锐化"滤镜是通过增加相邻像素点之间的对比,使图像清晰化,锐化程度轻微。

13.8.4　锐化边缘

"锐化边缘"滤镜只锐化图像的边缘轮廓,图像的整体平滑度保持不变,从而得到比较清晰的图像。

13.8.5　智能锐化

"智能锐化"滤镜就是通过设置锐化算法或控制阴影和高光中的锐化量来锐化图像。

13.9　视频

"视频"滤镜属于 Photoshop 的外部接口程序,用采从摄像机中输入图像或将图像输出到录像带上。"视频"滤镜包含"NTsc 颜色"和"逐行"两个滤镜。

13.9.1　NTSC 颜色

"NTSC 颜色"滤镜可以将不同色域的图像转化为电视可接收的颜色模式,以防止过饱和颜色渗过

电视扫描行。NTSC 即"国际电视标准委员会"的英文缩写。

13.9.2 逐行

"逐行"滤镜是通过去掉视频图像中的奇数或偶数交错行,平滑在视频上捕捉到的移动图像。用户可以选择复制或插值的方式来替换被去掉的行。

13.10 素描

"素描"滤镜是通过给图像增加纹理的方式来模仿素描、速写等的艺术效果。

13.10.1 半调图案

"半调图案"滤镜是模仿印刷中的半调网屏效果,并保持图像色调的连续性。

13.10.2 便条纸

"便条纸"滤镜产生类似于浮雕效果的凹陷压印图案。

13.10.3 粉笔和炭笔

"粉笔和炭笔"滤镜可以给人一种图像是由粉笔和炭笔绘制而成的效果。

13.10.4 铬黄

图像表面上的高光为亮点,暗调为暗点,"铬黄"滤镜是通过调节色阶来增加图像的对比度,从而产生像是被磨光的铬表面或液体金属的效果。

13.10.5 绘图笔

"绘图笔"滤镜是用精细的线条来捕捉图像中的各种细节,模拟出铅笔素描的效果。

13.10.6 基底凸现

"基底凸现"滤镜可以使图像产生类似浮雕的效果。

13.10.7 水彩画纸

"水彩画纸"滤镜可模仿在水彩纸上作画所产生的浸湿和颜色溢出相互混合的效果。

13.10.8 撕边

"撕边"滤镜可以在图像交界处制作喷溅的分裂效果,对于由文本或高对比度对象组成的图像特别有效。

13.10.9 塑料效果

"塑料效果"滤镜是将图像进行立体石膏压模处理,然后用前景色和背景色为图像上色,最后产生塑料喷刷覆盖的效果。

13.10.10 炭笔

"炭笔"滤镜可产生炭精画效果,该滤镜可以将图像变为非常明朗的黑白图案。

13.10.11 图章

"图章"滤镜可以简化图像,使图像变成类似盖章的效果,但不太清晰。

13.10.12 网状

"网状"滤镜可以模仿胶片感光乳剂的受控收缩和扭曲,产生一种网眼覆盖的效果。

13.11 纹理

"纹理"滤镜包含的6个滤镜,可为图像添加外观结构,从而使图像具有深度感和质感。

13.11.1 龟裂缝

"龟裂缝"可沿图像的边缘轮廓产生精细的裂纹网,使图像产生立体效果。

13.11.2 颗粒

"颗粒"滤镜可以模拟不同类型的颗粒为图像添加纹理效果。

13.11.3 马赛克拼贴

"马赛克拼贴"滤镜可以使图像产生由小片或块组成的马赛克拼贴效果。

13.11.4 拼缀图

"拼缀图"滤镜可以将图像拆分为方块,产生类似于建筑拼贴瓷砖的效果。

13.11.5 染色玻璃

"染色玻璃"滤镜是将图像分离为不规则的彩色玻璃小格,每小格的颜色用该小格内所有像素颜色的平均值进行填充,如图13-34所示。

图 13-34

13.11.6 纹理化

"纹理化"滤镜可在图像上应用砖块、画布、粗麻布和用户加载的其他纹理图样。

13.12 像素化

"像素化"滤镜主要用于将图像中的相似像素进行分离重整,使其平面化。

13.12.1　彩块化

"彩块化"滤镜将图像中纯色或相似颜色像素组合为彩色像素块,产生手绘效果。

13.12.2　彩色半调

"彩色半调"滤镜可以产生铜版刻印的效果。

13.12.3　点状化

"点状化"滤镜可以将图像分散为随机分布的网点,产生印象派绘画的效果。

13.12.4　晶格化

"晶格化"滤镜可以分析图像中的纯色或颜色相近的像素,并用多边形笔触对图像进行归纳,形成类似于点彩画的效果。

13.12.5　马赛克

"马赛克"滤镜通过分析图像中颜色相近的像素,并用方形笔触对图像进行归纳,形成类似于马赛克的图像效果。

13.12.6　碎片

"碎片"滤镜是将图像进行 4 次复制,然后将它们平均偏移,形成一种不聚焦的效果。

13.12.7　铜版雕刻

"铜版雕刻"滤镜是用点、线和笔划重新绘制图样,产生版画效果。

13.13　渲染

"渲染"命令子菜单中的滤镜可以在图像中创建三维形状、云彩图案以及模拟灯光照射等效果。

13.13.1　分层云彩

"分层云彩"滤镜利用前景色和背景色随机变化,并与图像原来的像素混合来生成云彩图案,其混合方式与"差值"模式混合颜色方式相同。

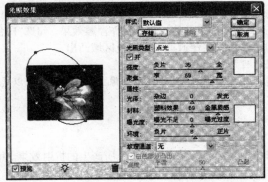

图 13-35

13.13.2 光照效果

"光照效果"滤镜可以模拟光线照射在图像上的效果,在"光照效果"对话框中(如图 13-35 所示),可以设定光照样式、光照类型等,还可以添加纹理通道来得到浮雕效果。

1.光照样式

在"光照效果"对话框中的样式下拉列表中,有 17 种不同的光照风格供用户选择。单击预览框下的灯泡,并将其拖动到预览框中,可以添加光照。单击光照的中心的聚焦点,并将其拖动到预览框下的删除按钮上,可以将该光照删除。

2.光照类型

在光照类型下拉列表中,有 3 种光照类型供选择。

·平行光:模拟从很远的地方投射的光照,不能改变光照角度,类似于自然光。

·全光照:也不能改变光照角度,类似于泛光灯的照射效果。

·点光:可以改变光照角度,模拟照射灯的照射效果,如图 13-36 所示。

图 13-36

通过拖动光照聚焦点,可以调整光照的位置;通过拖动聚焦点四周的控制点,可以调整光照范围;单击对话框中的色块,可以选择光照或环境光的颜色;拖动强度滑块,可以调整光照的强度;拖动聚焦滑块,可以调整光照中心向周围的影响范围。

3.属性

·光泽:.可以调整表面对光照的反射程度。

·材料:定义表面材料来表现质感。

·曝光度:调整图像接受光照的程度。

·环境:设定环境光,使其与其他光照结合。

4.纹理通道

在下拉列表中,可以选择一个通道作为纹理来制作浮雕效果。勾选"白色部分凸出"复选框,使通道中的白色区域凸出;不勾选该复选框,便通道中的黑色区域凸出。

·高度:拖动滑块调整纹理的凸起程度。

·提示:光照效果滤镜只能应用在 RGB 格式的图像上。纹理通道可以是图像本身的内建颜色通道,也可以是用户创建的 pha 通道。

13.13.3 镜头光晕

"镜头光晕"滤镜可以模拟光源照射在相机镜头上所产生的折射效果。用鼠标在对话框的预览框中单击,或拖动光晕的十字线,可以指定光晕的中心位置。

13.13.4 纹理填充

"纹理填充"滤镜可以将灰阶模式的 PSD 格式图像填充到图像的 Alpha 通道中,当该通道和图像的主通道同时可见时,就会产生纹理效果。

13.13.5 云彩

"云彩"滤镜利用前景色和背景色随机变化来生成云彩图案,这样生成的云彩图案比较柔和,如果要加大云彩图案的对比度和清晰度,可以在选择【滤镜→渲染→云彩】命令时,按下【Alt】键。

13.14 艺术效果

"艺术效果"滤镜包含了 15 种艺术效果,用户可以通过这些滤镜将一幅平淡的图像变成精美的艺术品,或者创造一些特殊的艺术效果。

13.14.1 壁画

"壁画"滤镜是用不规则的斑点绘制图像,产生比较粗糙的笔触,从而得到一种类似于古壁画的效果。

13.14.2 底纹效果

"底纹效果"滤镜可以赋予图像指定的底纹,产生比较特殊的底纹效果。

13.14.3 彩色铅笔

"彩色铅笔"滤镜模拟用彩色铅笔在纯色纸张上绘画的效果,形成线条交叉的笔触。

13.14.4 粗糙彩笔

"粗糙彩笔"滤镜可以模拟彩色粉笔的笔触对图像进行描绘,形成类似于粉笔画的效果。

13.14.5 调色刀

"调色刀"滤镜可以减少图像的细节,将相近颜色进行融合,增强图像的笔触感。

13.14.6 干笔画

"干笔画"滤镜是模拟用比较厚重的笔法对图像进行艺术处理,从而得到一种独特的艺术效果。

13.14.7 海报边缘

"海报边缘"滤镜可以减少图像中的颜色,并沿图像边缘添加黑色阴影,产生海报效果。

13.14.8 海绵

"海绵"滤镜可以模拟类似海绵一样柔软而富有弹性的笔触,使图像产生一种被水浸湿的特殊效果。

13.14.9　绘画涂抹

　　"绘画涂抹"滤镜是用不同大小和类型的画笔对图像进行涂抹,产生一种模糊艺术效果。

13.14.10　水彩

　　"水彩"滤镜可以产生柔和而湿润的笔触,得到像水彩画一样的艺术效果。

13.14.11　木刻

　　"木刻"滤镜以块状的颜色来归纳图像中的颜色像素,使图像具有类似于在木头上雕刻或由剪纸拼贴而成的效果。

13.14.12　霓虹灯光

　　"霓虹灯光"滤镜可以为图像添加不同类型的发光效果,产生彩色霓虹灯照射的效果。

13.14.13　塑料包装

　　"塑料包装"滤镜可以模拟用塑胶薄膜包裹图像,形成表面质感很强的塑料包装的效果,如图13-37所示。

图 13-37

13.14.14　涂抹棒

　　"涂抹棒"滤镜可以模拟粉笔或蜡笔笔触,用短对角线对图像进行涂抹,从而柔和图像的暗部区域,但图像中亮部区域的一些细节将丢失。

13.15　杂色

　　"杂色"滤镜可以为图像添加杂色,或者去掉图像中的杂色。

13.15.1　蒙尘与划痕

　　"蒙尘与划痕"滤镜是通过改变像素的方式来减少杂色的,从而使图像更清晰。

13.15.2　去斑

　　"去斑"滤镜可以去除图像中的一些令人不愉快的瑕疵,从而得到高质量的图像。

13.15.3 添加杂色

"添加杂色"滤镜可以在图像中增加一些细小的颗粒状像素,其效果类似于电视图像中的雪花点。

13.15.4 中间值

"中间值"滤镜通过在设定的像素选区半径中,搜索相同亮度的像素,去掉与邻近像素相差太大的像素,并用搜索到的像素的中间亮度值进行替换。

13.16 其他

"其他"命令子菜单中的滤镜,不便于进行分类,所以单列出来介绍。

13.16.1 高反差保留

"高反差保留"滤镜是在图像中明显的颜色过渡处保留指定半径内的边缘细节,并隐藏图像的其他部分。

13.16.2 位移

"位移"滤镜是将图像按用户的设定值进行移动,从而得到一些特殊的效果。

13.16.3 最大值

"最大值"滤镜是放大亮色区域,并缩小暗色区域。

13.16.4 最小值

"最小值"滤镜是放大暗色区域,并缩小亮色区域。

13.16.5 自定

"自定"滤镜是让用户自己设定滤镜效果。用户可以亲自创建滤镜,从而获得清晰化、模糊、浮雕等效果。

本章讲解了 Photoshop CS3 自带的诸多滤镜。熟练掌握这些功能,可以让我们创建出不可思议的梦幻效果。如果有兴趣,用户还可以自己在 Photoshop CS3 程序中安装一些由第三方开发的滤镜,使得 Photoshop CS3 更加如虎添翼。

一、理论测试

1.填空题

(1)使用 _____ 命令可根据选区或剪贴板中的内容创建无限多种图案。

(2)利用 _____ 命令可以使纯色或者相近颜色的像素结成相近颜色的像素块。

(3)利用 _____ 命令可在选区上创建波状起伏的图案,像水池表面的波纹。

2.选择题

(1)通过 _____ 滤镜,可将选区折成球形、扭曲图像以及伸展图像以适合选中的曲线,使对象具有 3D 效果。

A.置换　　　B.球面化　　　C.波纹　　　D.水波

(2)利用 _____ 滤镜,可将图像中的颜色分解为随机分布的网点、如同点状化绘画一样,并使用背景色作为网点之间的画布区域。

A.晶格化　　　B.彩块化　　　C.彩色半调　　　D.点状化

(3)利用 _____ 模糊滤镜,可使图像中的像素按照一定的方向产生线性位移,产生沿某一方向运动的模糊效果,可以模拟用固定曝光时间给运动的物体拍照的效果。

A.径向　　　B.动感　　　C.表面　　　D.高斯

二、上机操作

打开素材文件(如图 13-38 所示),利用 Photoshop 的滤镜知识,并结合前面所学内容,将原图像制作成如图 13-39 所示的图像效果。

图 13-38

图 13-39

第14章 自动执行与打印输出

本章导读：

Photoshop CS3 的自动执行功能，使我们能够将一系列重复性很高的工作制作为动作，并用批处理命令对指定文件夹中的文件进行批量处理，从而提高工作效率，大大减轻了用户的工作强度。

本章主要介绍了动作、批处理、PDF 演示文稿、裁剪并修齐照片和页面设置等内容。

技能提要：

了解动作功能。

批处理、PDF 演示文稿、裁剪并修齐照片、图片包。

页面设置与打印机的选择。

打印预览。

14.1　动作功能

所谓"动作"就是可以对单个文件或者一批文件回放系列操作的命令。利用 PhotoshopCS3 的动作功能，用户可以将所进行的操作录制下来，然后对其他图层中的图像或另外的文件播放该动作，使工作自动化。

14.1.1　动作调板

1.了解动作调板

在 Photoshop CS3 中，动作功能的选择必须依靠动作调板来实现。选择【窗口→动作】命令(组合键【Alt+F9】)，都可打开动作调板，如图 14-1 所示。

用户可以通过选择动作调板菜单中的"按钮模式"命令来切换动作调板中所有动作的显示模式。选择"按钮模式"命令，动作调板就将以"按钮"的方式来显示动作(如图 14-2 所示)，直接在按钮上单击，即可播放该动作。取消"按钮模式"命令，动作调板则以清单的方式来显示动作。用清单方式显示，可以方便我们查看动作中的每一个命令以及相关信息。

停止记录　　　删除
开始记录　　　创建动作
播放动作　　　创建新组

图 14-1

图 14-2

2.创建组

组的作用就是可以将多个动作组合在动作组中,可以更有效率地对动作进行管理。单击动作调板中的"创建新组"按钮 ▭，或者在动作调板菜单中选择"新建组"命令,都可以新建一个动作组(如图14-3所示),输入组名称后即可创建一个新组。

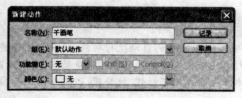

图 14-3

图 14-4

14.1.2 创建新动作

一个动作中可以包含多步操作。单击动作调板下的"新建动作"按钮壁 ▭ 或选择调板菜单中的"新建动作"命令,都可以通过"新建动作"对话框创建一个新动作,如图14-4所示。

以下为"新建动作"对话框各项的简要说明。

·名称:在"名称"文本框中输入新建的动作名称。

·组:在"组"下拉列表框中,用户可以选择一个已经创建的组来放置新建的动作。

·功能键:功能键的作用实际上就是选择动作的组合键。用户可以自定义功能键,如果勾选"Shift"复选框,则该动作选择的组合键为功能键和【Shift】键的组合;如果勾选"Control"复选框,则该动作选择的组合键为功能键和【Ctrl】键的组合。当然,用户也可以同时勾选两复选框来组合组合键。

·颜色:颜色下拉列表框中,用户可以选择该动作在动作调板中的显示颜色,以便和其他动作进行区分。

当用户设置好动作的各选项后,单击"记录"按钮,Photoshop CS3即可开始记录用户所选择的操作了。

14.1.3 记录动作

记录动作可以通过"创建新动作"按钮或"新动作"命令开始,也可以选择现有动作,单击动作调板下的"开始记录"按钮或选择调板菜单中的"开始记录"命令来记录动作。

01 打开目标图像如图14-5所示▶▶然后按下组合键【Alt+F9】,通过打开的动作调板中创建目标动作,例如"干画笔"动作。

02 用套索工具在图像中绘制任意形状的选区▶▶单击动作调板中的"开始记录"按钮,按下组合键【Shlift+Ctrl+I】,反相选区。单击鼠标右键,选择菜单中的"羽化"命令,在"羽化"对话框中设置"半径"为"20"像素,如图14-6所示。

图 14-5

图 14-6

03 单击"确定"按钮,按下【Delete】键,删除选区内的图像。按下组合键【Ctrl+D】,取消选区。选择【滤镜→艺术效果→干画笔】命令,在打开的"干画笔"设置对话框中设置所需参数(如图14-7所示),单击"确定"按钮,得到如图14-8所示的效果。接着按下动作调板中的"停止播放/记录"按钮,完成动作的录制。

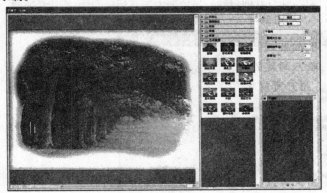

图 14-7

图 14-8

14.1.4 插入命令

在动作调板中可插入一些命令到已经录制好的动作清单中,也可以插入停止命令到动作中,以便随时检查选择效果。总之,通过对动作的管理,用户所设置的自动选择功能可以更有效率地进行。

01 单击"干画笔"动作组中的"干画笔"命令项,打开"插入菜单项目"对话框(如图14-9所示),要插入的动作命令将排列在所选"干画笔"命令之后。

02 这时不要单击"插入菜单项目"对话框中的"确定"或"取消"按钮,而是选取需要选择的记录命令,例如选择【滤镜→艺术效果→水彩】命令,这时在对话框"菜单项"的后面已经由原先的"无选择"项,变为刚才所选择的命令"艺术效果:水彩"项了,如图14-10所示。

图 14-9

图 14-10

03 在水彩对话框中设置好参数后,单击"确定"按钮,这时在"干画笔"命令后就插入了一个"水彩"命令,如图14-11所示。

图 14-11

14.1.5　存储动作

如果将某一动作存储后，即使重新安装了系统，也可快速载入存储的动作。在动作调板中选择目标动作组，然后选择调板菜单中的"存储动作"命令，在打开的"存储"对话框中输入动作名称，选择存储路径(如图 14–12 所示)，单击"保存"按钮，即可以 *.ATN 格式保存该动作。

图 14-12

14.1.6　播放动作

现在让我们一起来看看，将已经录制好的"干画笔"动作应用到其他的图像上的效果。

01 打开目标图像，选择矩形选框工具，然后在目标图像中央绘制一个矩形选区，如图 14–13 所示。

02 单击动作调板中的"干画笔"动作；然后单击"播放"按 ▶ ，即可得到如图 14–4 所示的干画笔动作效果。

图 14-13

图 14-14

14.2　自动功能

在 Photoshop CS3 的【文件→自动】子命令中，包含了一系列自动选择功能。使用这些自动命令功能，可以自动执行某些批量化的操作。

14.2.1　批处理

批处理功能可以将指定文件夹中的图像文件批量选择指定的动作指令。例如，如果通过扫描仪、数码相机、网络得到许多需要同样处理的图片,这时就可以用批处理一次完成。另外,批处理也可以用于视频合成。

1.了解批处理对话框

当选择【文件→自动→批处理】命令,即可打开"批处理"对话框,如图 14-15 所示。

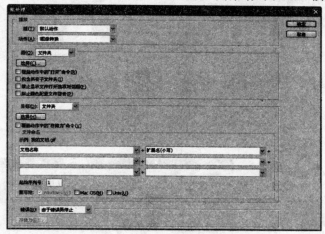

图 14-15

以下为"批处理"对话框各项设置的具体说明。

·播放栏:在播放栏中,用户可以分别设定选择批处理的组和动作。

·源栏:在"源"下拉列表框中,用户可以选择批处理的文件来源。其中,选择"文件夹"项,表示文件来源为指定文件夹中的全部图像,通过单击"选取"按钮,就可以指定来源文件所在的文件夹;选择"导入"项,表示从其他文件格式或通过扫描仪来获取来源图像;选择"打开文件"项,表示批处理当前打开的所有文件。勾选"覆盖动作中的'打开'命令"复选框,当选择的动作中如果包含有打开命令,就自动跳过;勾选"包含所有子文件夹',复选框,选择批处理命令时,若指定文件夹中包含有子文件夹,则子文件夹中的文件将一并选择批处理命令;"禁止颜色配置文件警告"复选框,可以用于设置打开的图像文件的色彩与原嵌入定义文件不同时,是否要出现"Embedded Profile Mismatch"对话框。在该对话框中,用户可以选择打开文件的方式。

·目标栏:在"目标"下拉列表框中,用户可以选择图像处理后保存的方式。选择"无"项,表示不保存;选择"存储并关闭"项,表示可让动作中的"存储为"命令引用批处理的文件,而不是动作中指定的文件名和位置。如果选择此选项,则动作中必须包含一个"存储为"命令,因为"不处理"命令不会自动存储原文件;选择"文件夹"项,可以指定一个文件夹来保存处理后的图像。勾选"覆盖动作中的'存储为'命令"复选框,表示当选择的动作中如果包含有"另存为"命令,就自动跳过。

·错误栏:在"错误"下拉列表框中,用户可以选择当批处理出现错误时,怎样处理。选择"由于错误而停止"项,可以在遇到错误时,停止批处理命令的选择;选择"将错误记录到文件"项,则在出现错误时,将出错的文件保存到指定的文件夹,选择该项时,通过单击"另存为"按钮,可以指定保存错误信息文件的文件夹。

2.批处理图像

下面,我们将通过对源文件夹中的格式图像(如图 14-16 所示)进行【图像→模式→RGB 颜色、调整→自动色阶→自动对比度→自动颜色→存储为 *.TIF 格式→关闭】等多项命令的批处理操作,从而让大家进一步深入了解批处理的操作流程。

用户使用"批处理"命令来处理文件时,可以将指定文件夹中所有文件进行打开、选择动作、保存、关闭等处理。所以,用户必须将要处理的文件整理到同一个文件夹中。

01 根据需要在动作调板中创建一个"图像转换"的组,然后再录制一个如图 14-17 所示的"动作 1"。

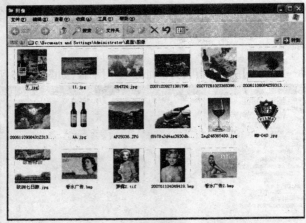

图 14-16

图 14-17

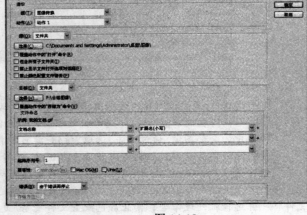

图 14-18

02 选择【文件→自动→批处理】命令,在打开的"批处理"对话框中进行如图 14-18 所示的选项设置。

03 单击"确定"按钮,Photoshop CS3 即可开始转换图像的批处理操作。批处理结束后,源文件夹中所有的图像将经过颜色模式转换、自动优化后,以 *TIF 格式保存到指定的"F:\ 合格图像"文件夹中,如图 14-19 所示。

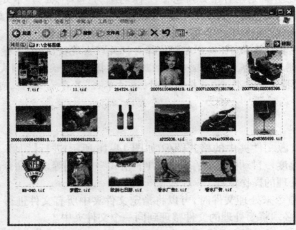

图 14-19

14.2.2　PDF 演示文稿

　　PDF 演示文稿命令可将其他格式的图像转换为 *.PDF 格式文件。下面我们就一起来把多个 *.BMP 格式图像文件转换为一个多页面的 PDF 文档。

　　01　选择【文件→自动→PDF 演示文稿】命令，打开"PDF 演示文稿"对话框，如图 14-20 所示。

　　02　单击该对话框中的"浏览"按钮，在激活的"打开"对话框中选取目标文件夹中的图像，如图 14-21 所示。

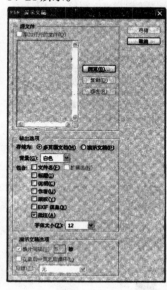
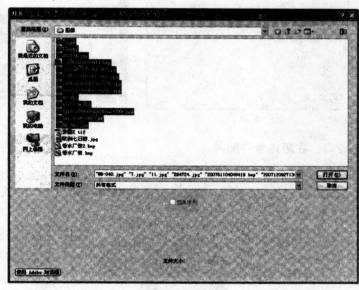

图 14-20　　　　　　　　　　　　　　　　图 14-21

　　03　单击"打开"按钮，此时在"PDF 演示文稿"对话框的"源文件"项中即可显现出所有刚才所选取的图像文件，如图 14-22 所示。

　　04　在"PDF 演示文稿"对话框中分别设置"输出选项"和"演示文稿选项"，后，单击"存储"按钮，在激活的"存储"对话框中设置 PDF 演示文稿的保存路径和文件名称，如图 14-23 所示。

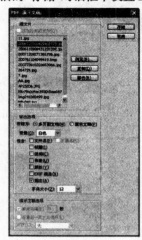
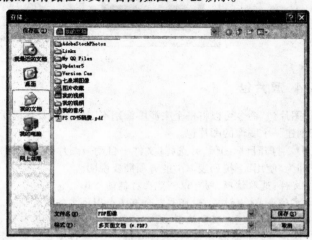

图 14-22　　　　　　　　　　　　　　　　图 14-23

　　05　单击"保存"按钮，在激活的"存储 Acrobat PDF"对话框中，设置保存 PDF 的各项参数，例如，PDF 文件格式的兼容性、文件是否压缩、输出的颜色，以及文件的安全性等，如图 14-24 所示。

06 单击"存储 PDF"按钮,Photoshop CS3 即可自动将所选取的 *BMP 格式图像转换为多页面的 PDF 文档。如果系统中安装了 Adobe Acrobat、Acrobat Reader 等 PDF 的编辑、浏览软件,我们就可以浏览或编辑该 PDF 文档,如图 14-25 所示。

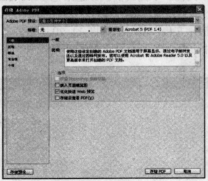
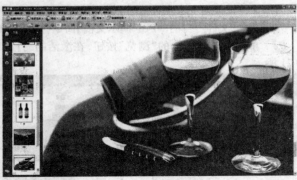

图 14-24　　　　　　　　　　　　　　　　　　图 14-25

14.2.3　裁切并修齐照片

打开目标图像,选择【文件→裁切并修齐照片】命令,Photoshop CS3 将自动根据打开图像的色彩,饱和度或明度,将该图像裁切,并另存为一个或多个图像(如图 14-26 所示)。因此,"裁切并修齐照片"命令最适合对一整版的单个图像进行裁切、提取和打印。

图 14-26

14.2.4　图片包

"图片包"命令可以将一个来源图像用不同的方式及数量摆放至一个自定义大小的画面中。下面我们将创建一个图像的图片包。

01 打开目标图像,并选择【文件→自动→图片包】命令,打开"图片包"对话框,如图 14-27 所示。以下即为"使用"下拉列表框中的各项简要说明。

· 文件:选取该项,则可以浏览已存储的图像。

· 文件夹:选取该项,则可浏览合有多个图像文件的文件夹。

· 最前面的文档:选取该项,则可对当前打开的图像进行图片包操作。

· 从浏览器中选择图像:选取该项,则可以通过浏览器选择所需的图像。

02 在"源图像"设置框的"使用"下拉列表框中选取"最前面的文档"项,在"文档"设置框"页面大小"下拉列表框中选取"29.7 × 42.0 厘米"项。

03 在"标签"设置框的"内容"下拉列表框中选取"自定文本"项,设置"字体"为"TimeNewRoman",

字号为 12pt。

04 单击"确定"按钮，即可对当前图像完成图片包操作，如图 14-28 所示。

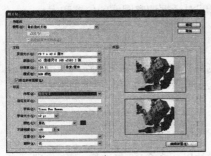

图 14-27

图 14-28

14.3 页面设置和选择打印机

当利用 Photoshop 创作好艺术作品后，就可以利用打印机将作品打印出来，展现在我们的面前。当然，一般在打印之前还需要进行页面设置，以使文档匹配打印纸张。

14.3.1 纸张的选择与方向

当安装好打印机后，选择【文件→打印设置】命令，在打开的"页面设置"对话框中"纸张"选项框的"大小"下拉列表框中选择与文档尺寸合适的纸张，如图 14-29 所示。例如 A4、B5。在"方向"选项框中选取"纵向"或者"横向"项，单击"确定"按钮即可。

图 14-29

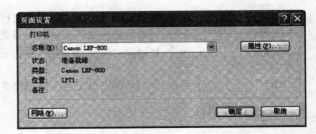

图 14-30

14.3.2 打印机的选择

如果没有选择好打印，则可以在打开的"页面设置"对话框中单击"打印机"按钮，在打开"页面设置"对话框中的打印机选项"名称"下拉列表框中选择所安装的打印机，如图 14-30 所示。例如 Canon LBP-800，然后单击确定按钮，即可完成打印机的选择。

如果要进一步设置打印机的属性。例如，油墨、打印数量，则可以单击"属性"按钮，通过打开的"打印属性"对话框来进一步设置。

14.4 打印预览

当文档尺寸与现有的纸张规格存在着差异,则还要通过"打印"对话框调整图像的位置和大小。

14.4.1 图像位置的调整

选择【文件→打印】命令,在打开的"打印"对话框中即可预览到打印文档。在"位置"列表框中勾选"居中"复选框,则图像即可自动位于纸张的正中。如果取消该复选框,则可以在"位置"数值框中输入数值来自定图像的位置。

14.4.2 图像大小的调整

在"打印"对话框中的"缩放后的打印尺寸"列表框中勾选"缩放以适合介质"复选框,则图像即可自动缩放到打印纸张的大小。若不勾选该复选框,则可以通过设置缩放百分比、高度、宽度数值框来手动设置图像的大小。

Photoshop CS3 的自动执行功能对于一般的用户来讲虽然使用频率不高,但有时侯通过这些功能却是成倍提高工作效率最有效的方法。

一、填空题

(1)通过 _____ 命令,可以在包含多个文件和子文件夹的文件夹上播放动作。

(2)通过 _____ 命令,可以将指定文件夹中的图像文件批量选择指定的动作指令。

(3)选择 _____ 命令,Photoshop CS3 将自动根据打开图像的色彩、饱和度或明度,裁切该图像,并另存为一个或多个图像。

(4)利用 _____ 命令,可以将两个以上的文件创建成全景合成图。

二、选择题

(1)按下组合键 _____ ,即可激活动作调板。

A.Alt+F9 　　B.Ctrl+F9 　　C.Alt+F2 　　D.Alt+F2

(2)将动作以 _____ 格式保存后,即使重新安装了系统,也可快速载入该动作。

A.*.JPEG 　　B.*TIFF 　　C.*.ATN 　　D.*.PSD

(3)通过 _____ 功能可以将一幅图像的许多副本排列在一页上,如同是相册。

A.Web 照片画廊 　　B.限制图像 　　C.图片包 　　D.联系表Ⅱ

第15章　制作特效文字案例——技能提高

本章导读：

　　Photoshop CS3 是制作各种特效文字的行家能手。有了 Photoshop CS3 的帮助，我们可以在电脑中轻松制作出具有逼真材质的特效文字。

　　文章通过制作光打孔字、半透明状的塑料字、液态字和火焰字，进一步让读者加深对图层、通道、色相调整命令、图层样式和模糊滤镜等功能的认识。

技能提要：

　　发光打孔字。

　　半透明塑料字。

　　液态字。

　　火焰字。

15.1　发光打孔字

案例效果：

　　本案例效果如图 15-1 所示。

图 15-1

案例分析：

　　本案例为白色发光的圆孔文字。在案例中主要运用了色彩半调、高斯模糊、光照效果和图层样式。首先输入颜色为黑色的点文字，再用"色彩半调"命令将文字变成由黑色圆点构成的文字，经过扭曲变形、创建位于上层的白色副本图像，在轻微移位后再进行背景—渐变填充，发光打孔字基本上就制作好了。

案例步骤：

　　01　按下组合键【Ctrl+N】，新建一个长宽为 4cm×3cm，分辨率 300 像素，背景为白色的 RGB 模式文档▶▶用文字工具输入字体为"方正粗宋"的"KTV"点文字▶▶按下组合键【CtrI+T】，将该文字自由变换到适当大小，如图 15-2 所示。

　　02　按下组合键【Ctrl+E】，将文字图层与背景层合并▶▶再选择【滤镜→像素→彩色半调】命令▶▶在打开的"彩色半调"对话框中将所有的通道数值设置为"0"，最大半径为"6"像素，如图 15-3 所示。

图 15-2

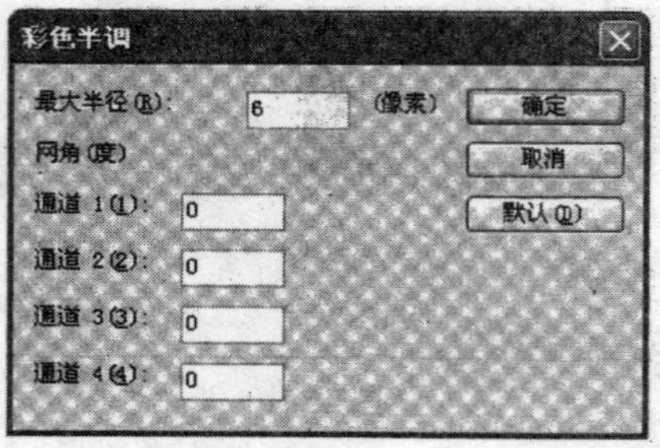

图 15-3

03 单击"确定"按钮,即可得到由黑色圆点组成的文字效果,如图 15-4 所示。

04 选择【选择→色彩范围】命令▶▶在打开的"色彩范围"对话框中进行如图 15-5 所示的参数设置。

图 15-4

图 15-5

05 单击"确定"按钮,即可得到选取黑色圆点轮廓选区▶▶单击图层调板下的"创建新图层"按钮,创建"图层 1"▶▶然后以黑色填充选区(如图 15-6 所示)▶▶隐藏背景图层。

06 选择【编辑→变换→扭曲】命令▶▶将"图层 1"中的文字图像变形成如图 15-7 所示的效果。

图 15-6

图 15-7

07 将"图层 1"拖动到图层调板上的"创建新图层"按钮上,得到"图层 1"副本图层▶▶单击图层调板上的"锁定透明像素"按钮,然后以白色填充该副本图层,如图 15-8 所示。

08 选择"图层 1",利用键盘上的方向键向上和向左移动图像▶▶并设置该图层的"透明度"为"70%",效果如图 15-9 所示。

图 15-8　　　　　　　　　　　　图 15-9

09 创建"图层 2",并将其调整排列到"图层 1"的下方▶▶选择渐变工具,单击其工具栏上的"线性渐变"按钮▶▶并通过"渐变编辑器"对话框(如图 15-10 所示)分别设置渐变颜色为 R:6、G:7、B:56 和 R:135、G:5、B:129。

10 用渐变工具对"图层 3"进行所设置颜色的线性渐变填充,如图 15-11 所示。

图 15-10

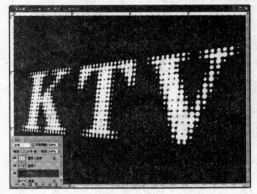

图 15-11

11 双击"图层 1",在打开的"图层样式"对话框中进行如图 15-12 和图 15-13 所示的投影和外发光参数设置。其中"投影"的颜色为 R:135、G:5、B:129。

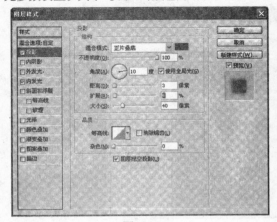

图 15-12　　　　　　　　　　　图 15-13

12 单击"确定"按钮,即可得到图 15-14 所示效果。

13 创建位于最上方的"图层 3"▶▶选择单行选框工具绘制"1 像素"宽的单行选区▶▶然后以白

色填充，如图 15-15 所示。

图 15-14

图 15-15

14 复制多个"图层 3"的副本，并将所有的填充为白色的单行图层链接▶▶然后单击工具栏中的水平居中对齐和垂直居中分布按钮，即可得到如图 15-16 所示的效果。

15 合并所有的"1 像素"宽的白色图层▶▶然后将其调整变形为如图 15-17 所示的效果。

图 15-16

图 15-17

16 设置该图层的图层混合模式为"叠加"、填充为 50%▶▶并对其添加如图 15-18 所示的"投影"参数设置。单击"确定"按钮▶▶即可得到如图 15-1 所示的发光打孔字最终效果。

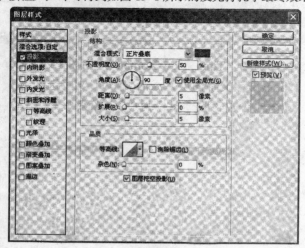
图 15-18

15.2 塑料字

案例效果：

本案例效果如图 15-19 所示。

图 15-19

案例分析：

本案例为质感极强的半透明塑料文字。在案例中主要应用了收缩选区、高斯模糊、Alpha 通道和光照效果滤镜。在制作过程中，首先收缩 2 像素的文字轮廓选区，在新图层上以白色填充该选区，再对其进行高斯模糊、叠加图层模式，再通过光照效果滤镜即可得到半透明的塑料效果。

案例步骤：

01 创建一个 4cm×4cm，背景为白色的 RGB 模式文档▶▶并通过色板调板设置前景色为"深蓝"色。

02 选择文字工具在输入点文字"XO"，设置字号为 60 点▶▶而字体最好选择一种粗细分明的字体，例如"rimes New Roman"，如图 15-20 所示。

03 按住【Ctrl】键，单击该文字图层，激活"XO"文字选区▶▶然后选择【选择—修改—收缩】命令，设置"收缩量"为"2"像素▶▶单击"确定"按钮，即可得到如图 15-21 所示效果。

图 15-20

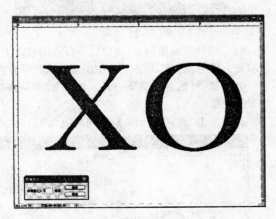

图 15-21

04 单击图层调板下的"创建新图层"按钮，创建"图层 1"▶▶设置前景色为白色，选择油漆桶工具填充、"图层 1 中的"XO"文字选区▶▶按下组合键【Ctrl+D】取消选区，效果如图 15-22 所示。

05 选择【滤镜→模糊→高斯模糊】命令▶▶在"高斯模糊"对话框中设置"半径"为"2"像素。设置"图层 1"的图层混合模式为"叠加"，效果如图 15-23 所示。

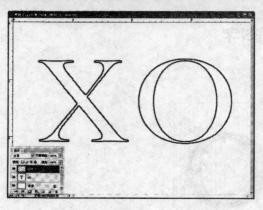

图 15-22   图 15-23

06 按住【Ctrl】键,再次单击文字图层,激活"天地传媒"文字选区▶▶切换到通道调板▶▶单击该调板下的"创建新通道"按钮,创建一个 Alpha 1 通道,并以白色填充选区。效果如图 15-24 所示。

07 选择【滤镜→模糊→高斯模糊】命令,设置"高斯模糊"半径为"2"像素,重复按下组合键【Ctrl+F】两次,对其进行高斯模糊▶▶按下组合键【Ctrl+I】,反向选取选区,并按下【1)elete】键删除图像▶▶按下组合键【Ctrl+D】,取消选区,如图 15-25 所示。

图 15-24   图 15-25

08 切换到图层调板,创建位于所有图层之上的"图层 2"▶▶激活"天地传媒"文字选区▶▶将选区填充为熏色,再将"图层 2"的图层混合模式设置为"滤色"。

09 选择【滤镜→渲染→光照效果】命令▶▶在打开的"光照效果"对话框中进行如图 15-26 所示的参数设置。

10 单击"确定"按钮▶▶即可得到如图 15-27 所示的光照效果。

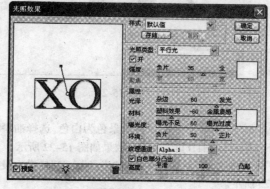

图 15-26   图 15-27

11 选择文字图层▶▶单击图层调板下的"图层样式"按钮,对"XO"文字图层运用"投影"样式后,即可得到如图 15-19 所示的塑料文字。

15.3　液态字

案例效果:

本案例效果如图 15-28 所示。

图 15-28

案例分析:

本案例为液态文字特效。在案例中主要应用了文字工具、画笔工具、高斯模糊、AIpha 通道和光照效果滤镜。首先用画笔工具在文字图像上添加呈现液态的部分,然后再通过高斯模糊、AIpha 通道、浮雕滤镜、多种图层样式、色阶调整后即可得到呈液态的文字效果。

案例步骤:

01 首先创建一个长宽为 4cm×2.5cm,白色背景的 RGB 模式文档▶▶然后用"文字工具"输入字体为"rimes LT Std"、颜色为黑色的"H20"文字▶▶单击鼠标右键在文字层,然后选择快捷菜单中的"栅格化文字"命令,将该文字图层转换为普通图层,如图 15-29 所示。

02 选择画笔工具▶▶以不同的半径在.H20 文字边缘涂抹上黑色的滴溅点,使文字看起来有被溶化的感觉,如图 15-30 所示。

图 15-29

图 15-30

03 按住【Ctrl】键,单击已经被栅格化的 H20 文字图层,激活该文字轮廓选区▶▶切换到通道调板,单击该调板下的"将选区存储为通道"按钮 ,创建 Alphal 通道▶▶按下组合键【Ctrl+D】取消文字选区,即可得到如图 15-31 所示的效果。

04 选择【滤镜→模糊→高斯模糊】命令▶▶在打开的"高斯模糊"对话框中设置"半径"为"5"像素,如图 15-32 所示。

图 15-31

图 15-32

_05_ 单击"确定"按钮▶▶即可得到 15-33 所示的效果。

图 15-33

_06_ 按下组合键【(Ctrl 十 L】,在打开的"色阶"对话框中进行如图 15-34 所示的参数设置▶▶单击"确定"按钮,即可得到如图 15-35 所示韵色阶调整效果。

_07_ 按下组合键【Ctrl+N】,创建长宽高为 150px × 150px 的新文档▶▶在文档中心添加一条水平和垂直参考线,如图 15-36 所示。

_08_ 通过"色板"调板设置"前景色"为"暗蓝色","背景色"为"浅蓝色"▶▶按下组合键【Alt+Delete】,以前景色填充背景图层,得到如图 15-37 所示的效果。

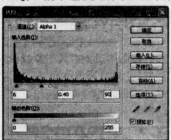

图 15-34

图 15-35

图 15-36

图 15-37

09 按下【Shift】键,用"矩形选框"工具在参考线的左上方和右下方各绘制一个正方形选区▶▶然后按下组合键【Ctrl+Delete】,以背景色填充正方形选区▶▶按下组合键【Ctrl+D】,取消矩形选区,效果如图 15-38 所示。

10 选择【编辑→定义图案】命令,将该图像自定义为图案▶▶切换回液态文字文档,并隐藏已栅格化的 H20 文字图层▶▶单击背景图层,按下组合键【Shift+F5】,在打开的"填充"对话框中选择自定义的蓝色图案,如图 15-39 所示。

图 15-38 　　　　　　　　　　　　　　　图 15-39

11 单击"确定"按钮▶▶即可得到如图 15-40 所示的自定义图案填充效果。

12 选择【滤镜→渲染→光照效果】命令▶▶在打开的"光照效果"对话框中进行如图 15-41 所示的参数设置。

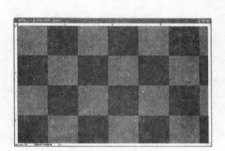

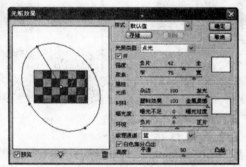

图 15-40 　　　　　　　　　　　　　　　图 15-41

13 单击"确定"按钮▶▶即可得到如图 15-42 所示的光照效果。

14 新建"图层 1",并用白色对该图层进行填充▶▶载入 Alphal 通道选区,如图 15-43 所示。

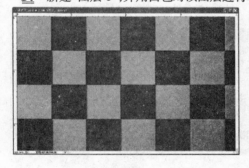

图 15-42 　　　　　　　　　　　　　　　图 15-43

15 然后以黑色进行填充▶▶按下组合键【Ctrl+D】,取消通道选区,得到如图 15-44 所示的黑色填充效果。

16 选择【滤镜→模糊→高斯模糊】命令▶▶对"图层 1"进行"半径"为"6"像素的高斯模糊,高斯模糊效果如图 15–45 所示。

图 15-44   图 15-45

_17_ 选择【滤镜→风格化→浮雕效果】命令▶▶在打开的"浮雕效果"对话框中进行如图 15–46 所示的参数设置。

_18_ 单击"确定"按钮▶▶即可得到如图 15–47 所示的浮雕效果。

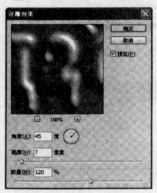 

图 15-46   图 15-47

_19_ 再次载入 Alphal 通道选区,并按下组合键【Shift+Ctrl+I】反选选区▶▶选择【选择→羽化】命令,在打开的"羽化"对话框中设置"羽化半径"为"2"像素▶▶单击"确定"按钮,即可得到如图 15–48 所示效果。

_20_ 以黑色填充选区(如图 15–49 所示)▶▶按下组合键【Shift+Ctrl+F】,在打开的"消褪"对话框中,设置"不透明度"为"50%"▶▶单击"确定"按钮,即可得到如图 15–50 所示的消褪选区效果。

图 15-48   图 15-49

_21_ 按下组合键【Ctrl+D】,取消选区▶▶再按下组合键【Ctrl+M】,在打开的"曲线"对话框中进行如图 15–51 所示的设置。

图 15-50

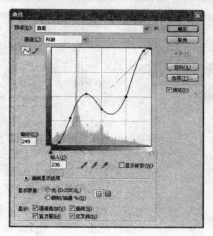

图 15-51

22 单击"确定"按钮▶▶即可得到如图 15-52 所示的效果。

23 选择【滤镜→艺术效果→塑料包装】命令▶▶在打开的"塑料包装"对话框中进行如图 15-53 所示的参数设置。

图 15-52

图 15-53

24 单击"确定"按钮，即可得到如图 15-54 所示的塑料包装滤镜效果。

25 按下组合键【Shift+Ctrl+F】，在"消褪"对话框中，设置"不透明度"为"25%"▶▶单击"确定"按钮，即可得到如图 15-55 所示效果。

图 15-54

图 15-55

26 载入 Alpha1 通道选区▶▶然后按下组合键【Shift+Ctrl+I】反选选区▶▶按下【Delete】键，删除"图层 1"选区中的图像▶▶按下组合键【Ctrl+D】取消选区，即可得到如图 15-56 所示的效果。

 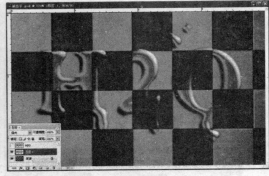

图15-56   图15-57

27　设置"图层1"的图层混合模式为"强光"▶▶其效果如图 15-57 所示。

28　切换到通道调板,选择 Alphal 通道▶▶按下组合键【Ctrl+A】,全选通道图像,再按下组合键【Ctrl+C】,复制通道。

29　按下组合键【Ctrl+N】,新建一个剪贴板大小的文档▶▶按下组合键【Ctrl+v】,将复制的通道图像粘帖到该文档中▶▶按下组合键【Ctrl+E】,使之与背景图层合并,如图 15-58 所示。

图 15-58

30　选择【滤镜→模糊→高斯模糊】命令,在打开的"高斯模糊"对话框中设置"半径"为"6"像素▶▶单击"确定"按钮,即可得到如图 15-59 所示的效果▶▶按下组合键【Ctrl+S】,以 *.PSD 格式保存该文档。

31　切换到液态文字文档,按下组合键【Ctrl+D】取消选区▶▶复制背景图层,得到背景图层副本▶▶在该副本图层上选择【滤镜→扭曲→置换】命令,在打开的"置换"对话框中进行如图 15-60 所示的参数设置。

图 15-59   图 15-60

32 单击"确定"按钮,在打开的"选择一个置换图"对话框中选择刚保存的 *.PSD 文档▶▶单击"确定"按钮,即可得到如图 15-61 所示的效果。

33 载入 Alphal 通道选区,按下组合键【Ctrl+I】,反选选区▶▶按下【Delete】键删除背景图层副本中选区内的图像▶▶按下组合键【Ctrl+D】取消选区▶▶按下组合键【Ctrl+E】将背景图层和背景图层副本合并,得到如图 15-62 所示的效果。

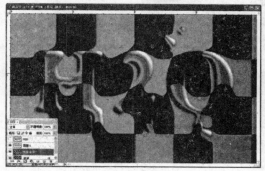
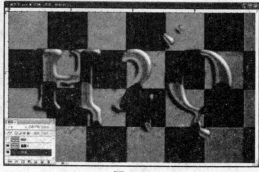

图 15-61　　　　　　　　　　　　　　　　图 15-62

34 将"图层 1"拖动到图层调板下的"创建新图层"按钮上,得到"图层 1"副本图层▶▶设置该图层的图层混合模式为"强光"▶▶把"图层 1"与"图层 1"副本合并,得到如图 15-63 所示的效果。

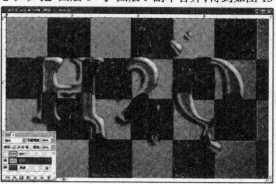

图 15-63

35 双击"图层 1",在打开的"图层样式"对话框中勾选"投影"和"内发光"复选框,其参数设置参数如图 15-64 和图 15-65 所示。

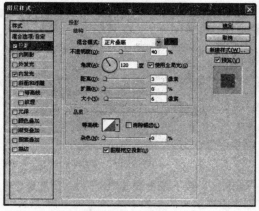
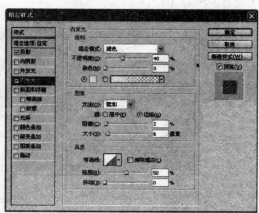

图 15-64　　　　　　　　　　　　　　　　图 15-65

_**36**_ 单击"确定"按钮,即可得到如图 15-66 所示的效果。

图 15-66

_**37**_ 切换到通道调板,并创建 Alphal 副本通道。并对 Alphal 副本通道执行两次"半径"为"3"像素的高斯模糊滤镜▶▶按下组合键【Ctrl+L】,在打开的"色阶"对话框中进行如图 15-67 所示的参数设置。

_**38**_ 单击"确定"按钮,即可得到如图 15-68.所示的色阶调整效果。

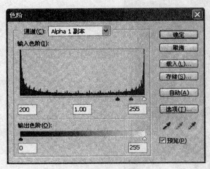

图 15-67

图 15-68

_**39**_ 在 Alphal 通道副本上选择【滤镜→风格化→浮雕效果】命令▶▶在打开的"浮雕效果"对话框中,进行如图 15-69 所示的参数设置。

图 15-69

40 单击"确定"按钮,即可得到如图 15–70 所示的浮雕效果。

41 接着按下组合键【Ctrl+L】▶▶在打开的"色阶"对话框中进行如图 15–71 所示的参数设置。

图 15-70

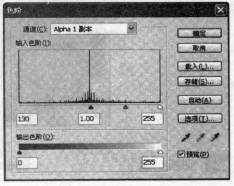

图 15-71

42 单击"确定"按钮,即可得到如图 15–72 所示的效果。

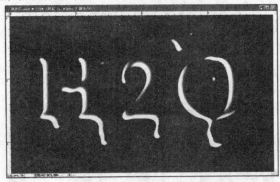

图 15-72

43 再次对该图像进行半径为"3"像素的高斯模糊滤镜▶▶接着进行如图 15–73 所示的色阶调整。

44 单击"确定"按钮,即可得以如图 15–74 所示的色阶调整效果。

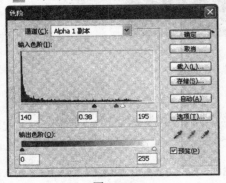

图 15-73

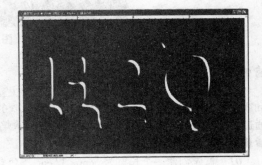

图 15-74

45 切换回图层调板,并创建位于"图层 1"上方的"图层 2"▶▶载入通道 1 副本选区,并以白色填充,效果如图 15–75 所示。

46 再创建位于最上方的"图层 3"▶▶设置背景色为白色,然后用画笔工具在文与边缘上添加点点星光,即可得到图 15–28 所示的最终效果。

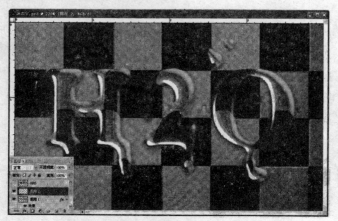

图 15-75

15.4 火焰字

案例效果：

本案例效果如图 15-76 所示。

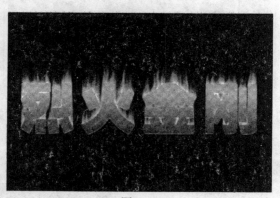

图 15-76

案例分析：

本案例为熊熊燃烧的火焰文字。在案例中主要应用了风滤镜、高斯模糊滤镜、液化滤镜和色相/饱和度命令。首先用风滤镜使旋转的文字具有风吹的动感，然后再通过高斯模糊将风变得进一步模糊，再通过液化滤镜和色相/饱和度命令即可制作出火焰字特效。

案例步骤：

01 首先创建一个长宽为 5cm×3.5cm，黑色背景的 RGB 模式文档▶▶然后用"文字工具"输入字体为"方正超粗宋"、颜色为"白色"的"烈火金刚"点文字，如图 15-77 所示。

02 鼠标右键在图层调板中的文字图层上单击▶▶然后单击鼠标右键；选择快捷菜单中的"栅格化"命令，栅格化文字，如图 15-78 所示。

03 按下组合键【Ctrl+J】，创建一个文字图层副本▶▶隐藏文字副本图层，然后选择文字图层。选择【图像→旋转→画布□90 度(顺时针)】命令，即可得到如图 15-79 所示效果。

04 选择【滤镜→风格化→风】命令，在打开的"风"对话框中进行如图 15-80 所示的参数设置。单击确定按钮,即可得到如图 15-81 所示的滤镜效果。

图 15-77

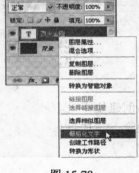

图 15-78

图 15-79

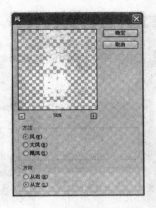

图 15-80

图 15-81

_05_ 按下组合键【Ctrl+F】两次,得到如图 15-82 所示的风滤镜效果。

_06_ 再选择【图像→旋转→画布→90 度(逆时针)】命令,即可得到如图 15-83 所示的效果。

图 15-82

图 15-83

_07_ 选择【滤镜→模糊→高斯模糊】命令,在"高斯模糊"对话框中进行如图 15-84 所示参数设置
▶▶单击"确定"按钮,得到如图 15-85 所示的效果。

_08_ 选择【滤镜→液化】命令,在"液化"对话框中选择"湍流工具",在窗帘右侧的参数栏中设置"画笔大小"为"15",在蒙版选项"替换选区"下拉列表框中选择"透明度"后▶▶用湍流工具在文字上进行涂抹,效果如图 15-86 所示。

_09_ 在"液化"对话框中设置"画笔大小"为"30",然后用湍流工具在表示火焰的区域上进行蛇形涂抹。▶▶单击"确定"按钮，即可得到如图 15-87 所示的效果。

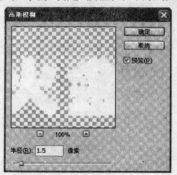

图 15-84

图 15-85

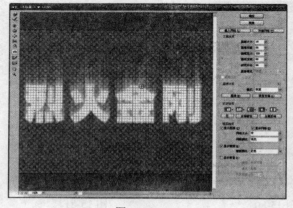

图 15-86

图 15-87

10 选择背景图层，然后按下组合键【Ctrl+J】，得到一个背景图层副本▶▶然后将背景图层副本与文字图层进行合并，效果如图 15-88 所示。

图 15-88

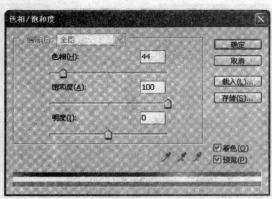

图 15-89

11 按下组合键【ctd+J】，在打开的"色相，饱和度"对话框中勾选"着色"复选框，并进行如图 15-89 所示的参数设置。单击"确定"按钮，即可得到如图 15-90 所示的效果。

12 按下组合键【Ctrl+J】，再次对该图层创建一个图层副本，然后设置该图层副本的图层混合模式为"叠加"，如图 15-91 所示。

图 15-90

图 15-91

_13_ 再次按下组合键【Ctrl+J】，在打开的"色相/饱和度"对话框中进行如图 15-92 所示的参数设置。单击"确定"按钮，即可得到如图 15-93 所示的效果。

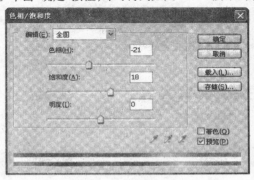

图 15-92

图 15-93

_14_ 显示位于最顶层的文字图层副本，然后单击图层调板中的"锁定透明像素"按钮，效果如图 15-94 所示。

_15_ 选择渐变工具，然后在"渐变编辑器"窗口中进行如图 15-95 所示的设置，单击"确定"按钮后，用渐变工具从上向下在文字图层副本上拖动鼠标，进行渐变填充，最终的火焰字特效如图 15-76 所示。

图 15-94

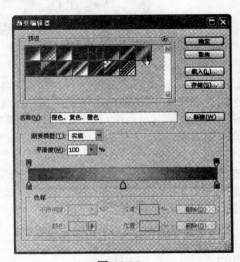

图 15-95

第 16 章　包装设计案例——技能提高

本章导读：

　　平面设计是 Photoshop 应用最为广泛的一个领域。在商品平面展示、书籍装帧、包装设计等行业都离不开它的帮助。正是因为有了 Photoshop，许多人走上平面设计之路，创作出了众多风格各异、吸引人眼球的艺术作品。

　　本章案例 CD 和 CD 包装、书籍装帧和红酒包装设计均是严格按照实际情况、比例进行制作，让用户体验一下用 Photoshop 进行实战的过程与乐趣。

技能提要：

　　CD 和 CD 包装。
　　书籍装帧。
　　红酒包装设计。

16.1　CD 包装设计

案例效果：

　　本案例效果如图 16-1 所示。

图 16-1

案例分析：

　　本案例为 CD 和 CD 包装纸设计。在案例中应用了椭圆选框工具、自由变换命令、投影、斜面和浮雕图层样式、色相，饱和度命令。在制作过程中，首先用椭圆选框工具绘制 CD 盘.的外形，然后再将素材图像置入 CD 轮廓选区中，再通过色相 / 饱和度进一步的调整色相，即可得到 CD 正面图像。而 CD 包装纸则采用类似的方法得到。

案例步骤：

　　01　首先创建 12cm×12cm，分辨率为 300 像素，透明背景的 RGB 模式文档。▶▶选择【视图→标尺】命令(组合键【Ctrl+R】)，在文档中显示出水平和垂直标尺。

　　02　选择【视图→新建参考线】命令▶▶通过打开的"新建参考线"对话框创建水平和垂直 6cm 的中心参考线，如图 16-2 所示。

　　03　通过色板调板设置前景色为"50%"灰▶▶选择椭圆选框工具，然后按住【Shift+Alt】组合键，以相交参考点为中心绘制一个正圆选区。

　　04　按下组合键【Alt+Delete】，对正圆选区进行前景色填充，如图 16-3 所示。

05 按下组合键【Ctrl+D】，取消正圆选区▶▶再按下组合键【Ctrl+J】，创建"图层 1"副本。

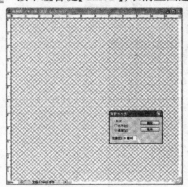

图 16-2

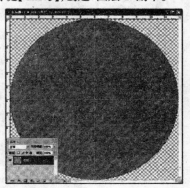

图 16-3

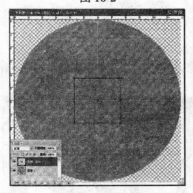

图 16-4

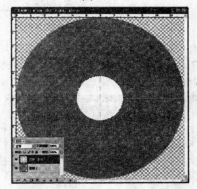

图 16-5

06 选择【编辑→自由变换】命令(组合键【Ctrl+T】)▶▶在其工具栏"水平缩放"和"垂直缩放"数值框中输入"28%"的缩放比值▶▶单击工具栏右侧的"进行变换"按钮，对该副本图层进行等比例缩放，如图 16-4 所示。

07 按住【Ctrl】键，单击"图层 1"副本，激活该图层中的正圆选区▶▶然后以白色填充正圆选区，如图 16-5 所示。

08 选择【选择→变换选区】命令，在其工具栏中的"水平缩放"和"垂直缩放"数值框中输入"46%"的缩放比值▶▶单击工具栏右侧的"进行变换"按钮，即可得到如图 16-6 所示的缩放效果。

09 按下【Delete】键，删除"图层 1"副本中的正圆选区内的图像▶▶再以同样的方法删除"图层 1"中的正圆选区内的图像，效果如图 16-7 所示。

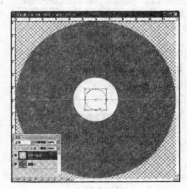

图 16-6

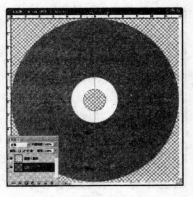

图 16-7

10 双击"图层 1",在打开的"图层样式"对话框中进行如图 16-8 所示的"投影"设置。

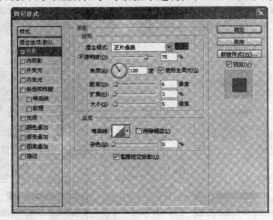

图 16-8

11 单击"确定"按钮,即可得到如图 16-9 所示的投影效果。

12 打开"第 15 章 / 包装设计 /CD 包装 / 人物"素材图像,并将其拖动到 CD 包装文档中▶▶然后将该图像置于"图层 1"副本的下方,如图 16-10 所示。

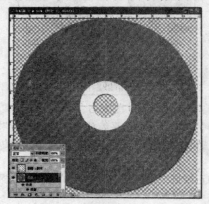

图 16-9   图 16-10

13 按下组合键【Ctrl+T】,将素材图像缩放到适当大小▶▶按住【Ctrl】键,单击"图层 1",激活该图层选区▶▶按下组合键【Shift+Ctrl+T】反向选择选区▶▶然后按下【Delete】键,删除选区内的素材图像,得到如图 16-11 所示的效果。

图 16-11   图 16-12

_14_ 选择【图像→调整→色相／饱和度】命令▶▶在打开的"色相／饱和度"对话框中分别对蓝色和红色进行调整，得到如图 16-12 所示的调整效果。

_15_ 选文字工具▶▶输入字号为"30"点，字体为"方正彩云"，颜色为"黄色"的"美国乡村音乐"点文字，如图 16-13 所示。

_16_ 选择【图层→图层样式→斜面和浮雕】命令▶▶在打开的"图层样式"对话框中进行如图 16-14 所示的参数设置。

图 16-13

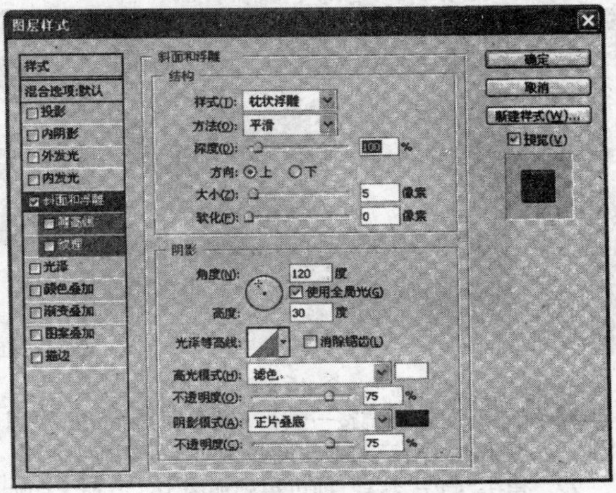

图 16-14

_17_ 单击"确定"按钮，即可得到如图 16-15 所示的效果▶▶再选择文字工具，在图像上添加上其他所需的点文字和段落文本，并对其应用图层样式。CD 的最终效果如图 16-16 所示。

图 16-15

图 16-16

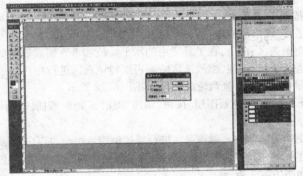

图 16-17

_18_ 再新建一个宽高为 25cm×12cm，白色背景，分辨率为 300 像素的：RGB 模式文档。

_19_ 选择【视图→标尺】命令(组合键【Ctrl+R】)，在文档中显示出水平和垂直标尺▶▶选择【视图→新建参考线】命令，通过打开的"新建参考线"对话框创建两条垂直参考线，如图 16-17 所示。

_20_ 将素材图像拖动到本文档中，然后按下组合键【Ctrl+T】将该图像调整到适当大小并移动到所需位置上，如图 16-18 所示。

图 16-18

图 16-19

_21_ 选择【图像→调整→色相／饱和度】命令(组合键【Ctrl+U】)▶▶在打开的"色相／饱和度"对话框中进行如图 16-19 所示的参数设置。

_22_ 单击"确定"按钮，即可得到如图 16-20 所示的调整效果。

图 16-20

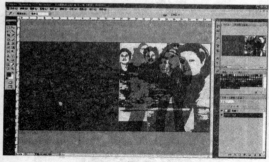

图 16-21

_23_ 单击背景图层，用吸管工具在"图层 1"中的紫色图像区域上单击，将前景色设置为该颜色▶▶按下组合键【Alt+Delete】，以前景色填充背景图层，如图 16-21 所示。

_24_ 单击图层调板下方的"创建新图层"按钮，创建位于最上方的"图层 2"▶▶选择椭圆选框工具，并按住组合键【Shift+Alt】，在该图层中绘制一个正圆选区。

_25_ 选择【编辑→描边】命令▶▶在打开的"描边"对话框中设置描边宽度为"1"像素，描边颜色为"白色"，单击"确定"按钮，完成白色描边。

_26_ 选择【选择→更换选区】命令，在工具栏中的水平缩放和垂直缩放数值框中输入所需的等比例数值▶▶单击右侧的"进行变换"按钮，缩放选区▶▶再次对该选区进行白色描边▶▶以相同的方法再用白色描边一小正圆，即可得到一个光盘轮廓图像，如图 16-22 所示。

_27_ 单击图层调板下方的"创建新图层"按钮，创建"图层 3"▶▶按住【Ctrl】键，单击"图层 2"，激活光盘轮廓选区。

_28_ 选择【选择→更换选区】命令，对该选区进行等比例缩放▶▶再以白色描边缩放后的选区。

_29_ 用移动工具分别将"图层 3"和"图层 2"中的光盘图像移动到所需的位置▶▶并设置图层的"填充"为"50%"，效果如图 16-23 所示。

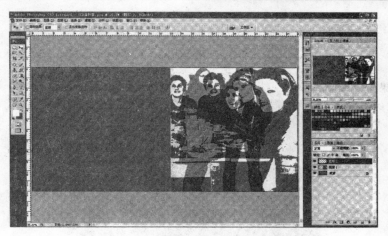

图 16-22

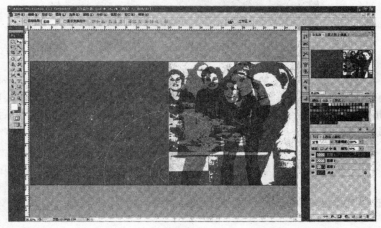

图 16-23

_30_ 选择文字工具，在图像中输入所需的横排和竖排文字▶▶再分别对目标文字应用图层样式，CD 包装的效果如图 16–24 所示。

图 16-24

_31_ 最后将前面绘制好的 CD 图盘也拖动到本文档中，对其旋转、缩放后即可得到如图 16–1 所示的 CD 和 CD 包装的最终效果。

16.2　书籍装帧设计

案例效果：

　　本案例效果如图 16-25 所示。

图 16-25

案例分析：

　　本案例为 3 本书籍的装帧设计。在案例中应用了画笔工具、椭圆工具、矩形工具、平滑选区、图层样式、光照效果、渐变填充和色相／饱和度命令。首先用画笔工具以白色在书籍上添加所需的图案，然后再用椭圆工具、矩形工具和平滑命令绘制出所需的圆点图案，再对文字添加图层样式，最后通过光照效果滤镜即可完成书籍装帧的设计。

案例步骤：

　　01　选择【文件→新建】命令，创建一个宽高为 28.5cm×21cm、分辨率为 300 的 RGB 模式的白色背景文档。

　　02　选择【视图→新建参考线】命令，通过打开的"新建参考线"对话框创建 4 条如图 16-26 所示的等边距参考线。

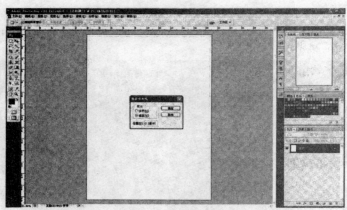

图 16-26

　　03　单击图层调板中的"创建新图层"按钮，创建"图层 1"。然后用矩形选框工具，在该图层中以相交参考为基准绘制一矩形选区。

　　04　通过色板调板设置前景色为"暗红"色，然后按下组合键【Alt+Delete】，以前景，色填充矩形选区，效果如图 16-27 所示。

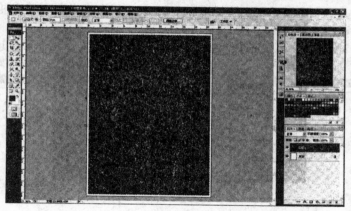

图 16-27

05 按下组合键【Ctrl+D】，取消矩形选区。单击图层调板中的"创建新图层"按钮，创建"图层2"。

06 选择画笔工具，并通过"画笔"调板对如图 16-28 所示的选项进行设置。

07 单击图层调板中的"创建新图层"按钮，创建"图层2"。设置前景色为白色，然后在该图层中绘制杜鹃花图案，并设置该图层的混合模式为"柔光"，不透明度为"100％"，设置效果如图 16-29 所示。

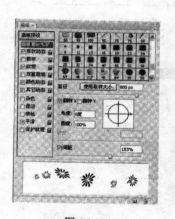

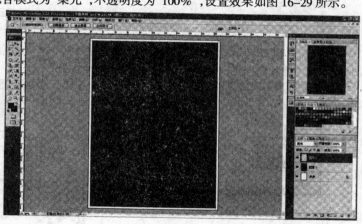

图 16-28

图 16-29

08 单击图层调板下的"创建新图层"按钮，创建"图层3"。隐藏"图层1"和"图层2"，然后选择椭圆工具，在"图层3"中绘制出如图 16-30 所示的 16 个正圆路径。

09 再选择矩形工具，在正圆路径间绘制出如图 16-31 所示的 4 个矩形路径。

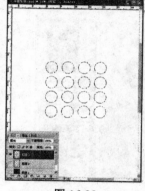

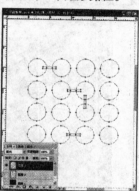

图 16-30

图 16-31

10 用路径选择工具框选所有的路径,单击工具栏中的"添加到形状区域"按钮,然后单击"组合"按钮,即可得到如图 16-32 所示的路径效果。

11 按下组合键【Ctrl+Enter】,将路径转换为选区。然后选择【选择→修改→平滑】命令,在打开的"平滑选区"对话框中设置所需"取样半径"数值,单击"确定"按钮,即可得到如图 16-33 所示的平滑选区。

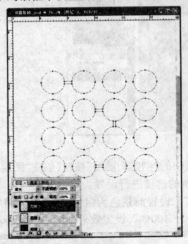
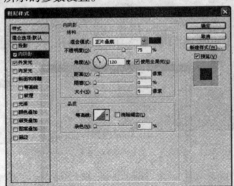

图 16-32　　　　　　　　　　　　　　图 16-33

12 显示"图层 1"和"图层 2",双击"图层 3",在打开的"图层样式"对话框中进行如图 16-34 和图 16-35 所示的参数设置。

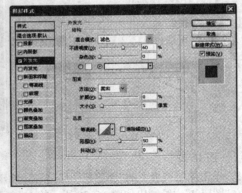

图 16-34　　　　　　　　　　　　　　图 16-35

13 单击"确定"按钮,即可得如图 16-36 所示的效果。

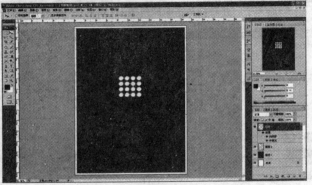

图 16-36

_14_ 单击图层调板中的"创建新图层"按钮,创建"图层 4"。用矩形选框工具,在该图层中绘制一个线条选区,然后以白色填充该选区。

_15_ 按下组合键【Ctrl+J】4 次,创建图层 4 副本、图层 4 副本 1、图层 4 副本 2 和、图层 4 副本 3 和图层 4 副本 4 等 4 个副本图层。链接图层 4 与其副本图层,然后对其进行"水平居中对齐"和"水平居中分布"的设置,按下组合键【Ctrl+E】,合并链接图层。最后设置该图层的混合模式为"叠加",效果如图 16-37 所示。

_16_ 按下组合键【Ctrl+J】,再次创建一个副本图层;并将该副本图像移至文档的右上角,效果如图 16-38 所示。

图 16-37

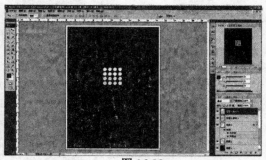

图 16-38

_17_ 选择文字工具,在图像中分别输入颜色为"白色"、字体为"方正粗情"和"方正大黑"的点文字。并对该文字添加如图 16-39 和图 16-40 所示的图层样式。

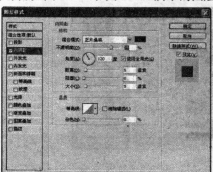

图 16-39

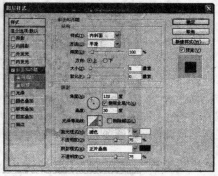

图 16-40

_18_ 单击"确定"按钮,即可得到如图 16-41 所示的效果。

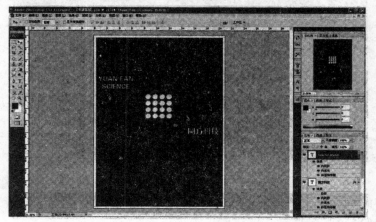

图 16-41

Photoshop 创意与设计一本通

19 选择"图层1"，然后选择【滤镜→渲染→光照效果】命令，在打开的"光照效果"对话框中进行如图16-42所示的设置。

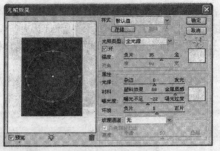

图16-42

20 单击"确定"按钮，即可得到如图16-43所示的光照滤镜效果。

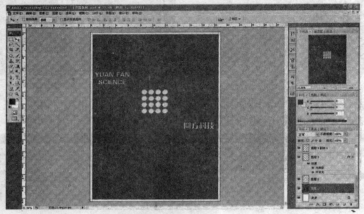

图16-43

21 按下组合键【Shift+Ctrl+S】，将该文档另存为*.JPG.格式。按下组合键【Ctrl+N】，创建一个新文档。通过色板调板设置前景色为"深黑绿"，按下组合键【Alt+Delete】，以前景色填充背景图层，效果如图16-44所示。

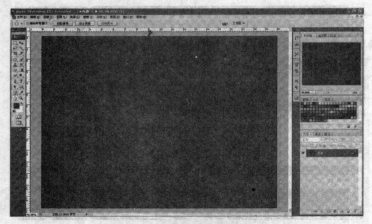

图16-44

22 将另存的*.格式图像拖动到本文档中。然后按下组合键【Ctrl+T】，对该封面图像进衍自由变换，效果如图16-45所示。

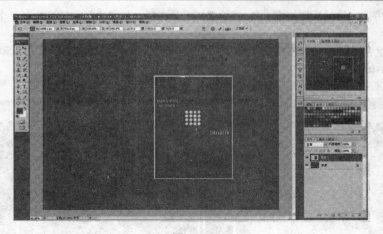

图 16-45

23 鼠标右键在该图上单击,然后选择快捷菜单中的"透视"命令,透视变形书籍封面。效果如图 16-46 所示。

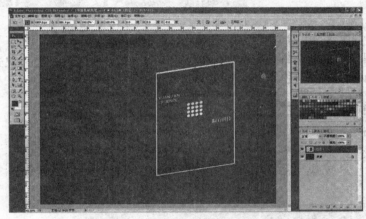

图 16-46

24 按下组合键【Ctrl+J】,创建"图层 1"副本。再选择"图层 1",然后用移动工具将其从左上方移至所需位置,效果如图 16-47 所示。

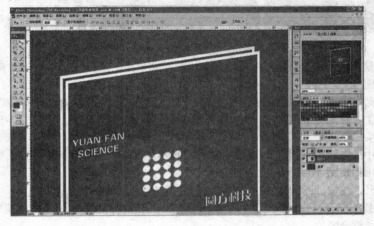

图 16-47

25 新建"图层2",然后用钢笔工具、直接选择工具在两个封面之间的顶部绘制一个代表书籍切口的矩形路径。

26 按下组合键【Ctrl+D】,将路径转换为选区。选择渐变工具,在打开的"渐变编辑器"窗口中进行如图16-48所示的设置。

27 然后对选区进行线性渐变填充,效果如图16-49所示。

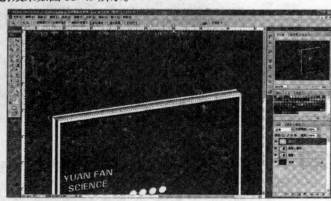

图16-48   图16-49

28 新建"图层3",然后用钢笔工具、直接选择工具在两个封面的左侧绘制一个代表书脊的矩形选区。在打开的"渐变编辑器"窗口中设置"渐变类型"类型为"黑白"项,然后对选区进行黑到白的线性渐变填充,效果如图16-50所示。

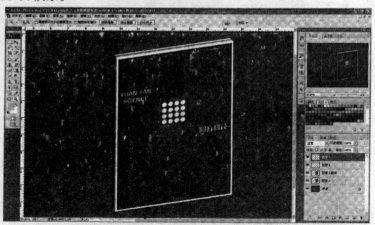

图16-50

29 单击图层调板上的"创建新组"按钮,创建"组1"图层组。按住【Shift】键,将除背景图层之外的所有图层都拖动到"组1"文件夹中。

30 连续两次将"组1"拖动到图层调板中的"创建新图层"按钮上,得到"组1副本"和"组1副本2"。

31 用移动工具移动 "组1副本" 和 "组1副本2" 图像至所需位置,这时文档中就出现了如图16-51所示的3本书籍。

32 选择组中的"图层1副本"和"图层1副本3",然后再选择【图像→调整→色相,饱和度】命令(组合键【Ctrl+U】),如图16-52所示。

33 单击"确定"按钮,即可得到如图16-53所示的色相/饱和度调整效果。

34 单击背景图层,然后选择【滤镜→渲染→光照效果】命令,在打开的"光照效果"对话框中进行如图16-54所示参数设置。

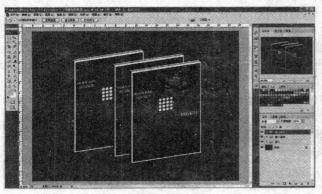

图 16-51

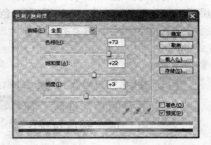

图 16-52

图 16-53

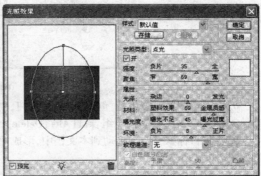

图 16-54

35 单击"确定"按钮,即可得到如图 16-25 所示的最终效果。

16.3　红酒包装设计

案例效果:

　　本案例效果如图 16-55 所示。

图 16-55

案例分析：

　　本案例为一幅红酒包装外观设计。在案例中应用了羽化、纹理化滤镜、色相／饱和度、变形命令、图层蒙版和垂直翻转命令。首先用羽化、色相／饱和度素材图像，再对图像进行纹理化滤镜处理，再添加上所需文字后，将酒标图像置入到酒瓶上进行弯曲变形、渐变填充，再对酒杯图像进行图层蒙版编辑、色相／饱和度后，即可绘制完成。

案例步骤：

01　选择【文件→新建】命令，在"新建"对话框中如图 16-56 所示创建一个新文档。

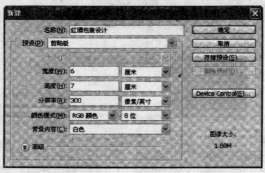

图 16-56

02　单击图层调板中的"创建新图层"按钮，创建"图层 1"。通过"拾色器"对话框设置前景色为 R：251、G：249、B：210，然后按下组合键【Alt+：Delete】，以前景色填充该图层，效果如图 16-57 所示。

03　将目标素材图像拖动到本文档中，形成"图层 2"。按下组合键【Ctrl+T】，将该素材图像调整到适当大小，如图 16-58 所示。

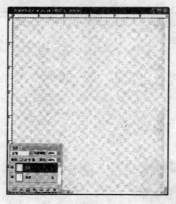

图 16-57　　　　　　　　　　　　　　　　　图 16-58

04　用钢笔工具在素材图像上绘制一个呈椭圆形的路径。然后按下组合键【Shift+Enter】，将路径转换为选区，如图 16-59 所示。

05　按下组合键【Shift+Ctrl+I】，反向选择选区。鼠标右键在选区单击，选择快捷菜单中的"羽化"命令，在打开的"羽化"对话框中设置"羽化半径"为"10"像素，单击"确定"按钮，完成设置。

06　按下【Delete】键，删除选区内的图像。'再按下组合键【Ctrl+D】，取消选区，效果如图 16-60 所示。

07　设置前景色为 R：128、G：112、B：76，选择【图像→调整→色相／饱和度】命令(组合键【(Xrl+u)】)，在打开的色相／饱和度对话框中勾选"差色"复选框，单击"确定"按钮，即可得到如图 16-61 所示的效果。

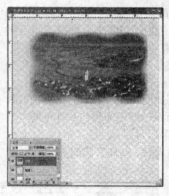

图 16-59   图 16-60   图 16-61

08 按下组合键【Ctrl-I-E】，合并"图层 2"和"图层 1"。选择【滤镜→纹理→纹理化】命令，在打开的"纹理化"对话框中进行如图 16-62 所示的参数设置。

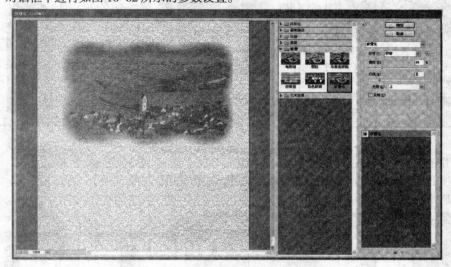

图 16-62

09 单击"确定"按钮，即可得到如图 16-63 所示的效果。

10 单击图层调板中的"创建新图层"按钮，创建"图层 2"。设置前景色为 R:103、G:89、B:58。选择矩形工具，在"图层 2"中绘制图 16-64 所示的两个矩形路径。

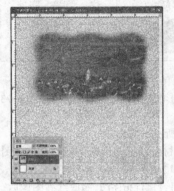

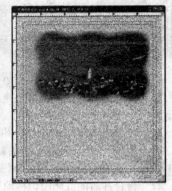

图 16-63   图 16-64   图 16-65

11 用路径选择工具框选所有的矩形路径，单击工具栏中的"重叠形状区域除外"按钮，单击"组合"按钮。再按下组合键【Ctrl+Enter】，将路径转换为选区，效果如图 16–65 所示。

12 选择【编辑→描边】命令，在打开的"描边"对话框中进行如图 16–66 所示的参数设置。

13 单击"确定"按钮，即可得到如图 16–67 所示的描边选区效果。选择文字工具输入如图 16–68 所示的颜色为黑色和红色的点文字。最终将该图像另存为 *.JPG 格式。

14 打开"第 15 章 / 红酒包装设计 / 酒瓶"素材图像，如图 16–69 示。

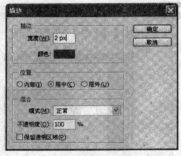

图 16-66

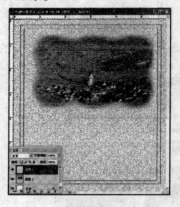

图 16-67

图 16-68

图 16-69

15 并将刚才另存为 *.JPG 格式的酒标图像拖动到该文档中，效果如图 16–70 所示。

16 按下组合键【Ctrl+T】，将酒标图像缩放到酒瓶的宽度大小，效果如图 16–71 所示。

17 选择【编辑→变换→变形】命令，红酒酒标图像上即可出现变形网格，如图 16–72 所示。

图 16-70

图 16-71

图 16-72

18 用书鼠标在变形网格上拖动变形节点和弯曲杆，向下弯曲变形酒标图像，变形效果如图 16–73 所示。

19 按下组合键【Ctrl+E】，合并酒标和酒瓶图像，得到如图 16–74 所示的效果。

20 再按下组合键【Ctrlq–N】，新建一适当大小的文档。将目标素材图像拖动到新文档中，得到"图层 1"。按下组合键【Ctrlq–T】，将素材图像调整缩放到适当大小，效果如图 16–75 所示。

21 将合并后的红酒图像拖动到该文档中，得到"图层 2"。按下组合键【(2trl+T】，缩放红酒图像后，再双击该图层，通过打开的"图层样式"对话框对图像进行"2"像素的白色描边，效果如图 16–76 所示。

图 16-73

图 16-74

图 16-75

图 16-76

22 按下组合键【Ctrl+J】,得到"图层 2"副本。按下组合键【Ctrl+T】,缩放副本图像。将副本图像移到桌面上后,选择【编辑→变换→变形】命令,将瓶底弯曲变形到适当程度,效果如图 16-77 所示。

23 设置"图层 2"副本的混合模式为"明度",透明度为"80%",即可得到如图 16-78 所示的效果。

24 置入其他所需的 4 张素材,将其链接后,进行水平居中对齐和垂直居中分布,效果如图 16-79 所示。

图 16-77

图 16-78

图 16-79

25 单击目标素材图像,然后选择【图像→调整→色相 / 饱和度】命令,在此打开的"色相 / 饱和度"对话框中勾选"着色"复选框,分别对这 4 张素材图像进行着色调整,效果如图 16-80 所示。

26 再置入红酒酒杯素材图像,得到"图层 7"。按下组合键【Ctrl+T】,将该图像缩放到适应大小,如

图 16-81 所示。

图 16-80   图 16-81

27 单击图层调板中的"添加图层蒙版"按钮,对"图层 7"添加图层蒙版。选择画笔工具,然后分别选取白色、黑色和不同灰阶的灰色在红酒酒杯上涂抹,从而在酒杯各个部位上得到透明、半透明和不透明的效果,如图 16-82 所示。

28 按下组合键【Ctrl+J】,创建"图层 7"副本。将该副本图像向右侧移动,再按下组合键【Ctrl+u】命令,在打开的"色相 / 饱和度"对话框中对"红色"进行色相调整,得到如图 16-83 所示的效果。

图 16-82   图 16-83

29 单击图层调板中的"创建新图层"按钮,创建仅位于"图层 1"之上的"图层 8"。用矩形选框工具在该图层的下方绘制一个适当大小的矩形选区,效果如图 16-84 所示。

图 16-84   图 16-85

30　通过色板调板设置前景色为"深黑青蓝"。选择渐变工具，然后在"渐变编辑器"对话框中选择"前景到透明"的渐变模式，如图 16-85 所示。

31　然后用渐变工具在"图层 6"中的矩形选区内从上到下拖动鼠标，即可进行"前景色到透明"的线性渐变填充，效果如图 16-86 所示。

32　按下组合键【Ctrl+D】，取消矩形选区。单击图层调板中的"创建新图层"按钮，创建仅位于"图层 2"之上的"图层 9"。按住【Ctrl】键，单击"图层 2"，激活该图层中的酒瓶轮廓选区，如图 16-7 所示。

33　通过色板调板设置前景色为"85％灰"。然后用渐变工具在酒瓶轮廓选区中进行"前景色到透明"的线性渐变填充。设置"图层 9"的图层混合模式为"正片叠底"即可得到如图 16-88 所示的效果。

图 16-86　　　　　　　　　　图 16-87　　　　　　　　　　图 16-88

34　最后再分别创建酒瓶和两个酒杯的图层副本。按下组合键【Ctrl+T】，单击鼠标右键，选择菜单中的"垂直翻转"命令，然后将副本图像向下垂直移动，并将其排列到主图层的下方，从而得到酒瓶和酒杯的倒影图像。最终的红酒包装效果设计如图 16-55 所示。

第17章 宣传设计案例——技能提高

本章导读：

　　印刷、出版是 Photoshop 另一个主要的应用领域，其中印刷品的制作是 Photoshop 主要设计工作。通过 Photoshop 各种印刷品在印前就已经完全展现在我们的眼前。

　　本章通过制作一份房地产楼书和一张世界旅游的海报招，让读者进一步加深 Photoshop CS3 的定义图案、羽化选区、色相饱和度、图层蒙版、变换和图层样式等功能和命令的认识。

技能提要：

　　楼书制作。
　　海报招贴。

17.1 楼书广告设计

案例效果：

　　本案例效果如图 17-1 所示。

图 17-1

案例分析：

　　本案例为一家房地产公司的楼书。在案例中应用了网格、定义图案、矩形选框工具、羽化选区和色相／饱和度等功能。首先在文档中用矩形选框工具绘制出所需的蓝色矩形块，然后再用自定义的图案填充该图像，置入素材图像，再用羽化、色相／饱和度调整图像，添加上所需的文字即可。

案例步骤：

　　01 选择【文件→新建】命令 (组合键【Ctrl+N】)
▶▶通过打开的"新建"对话框创建如图 17-2 所示的新文档。

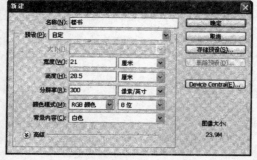

图 17-2

02 单击图层调板中的"创建新图层"按钮,创建"图层1"▶▶选择【视图→显示→网格】命令(组合键【Ctrl+'】),在文档中显示网格▶▶以网格线为参考,用矩形选框工具在"图层1"中绘制一个等边距的矩形选区,然后单击鼠标右键,选择菜单中的"描边"命令,如图17-3所示。

03 在打开的"描边"对话框中进行如图17-4所示的描边设置▶▶单击"确定"按钮,即可完成选区的描边。

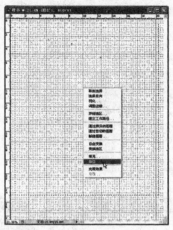

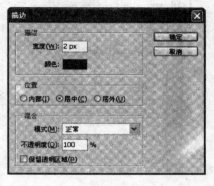

图 17-3   图 17-4

04 再次按下组合键【Ctrl+'】,隐藏文档中的网格,得到如图17-5所示的描边选区效果。

05 通过色板调板设置前景色为"纯蓝",单击图层调板中的"创建新图层"按钮,创建"图层2"▶▶用矩形选框工具在该图层中的下方绘制一矩形选区,然后按下组合键【Mt+Delem】,以前景色(纯蓝)填选区,效果如图17-6所示▶▶按下组合键【Ctrl+D】,取消选区。

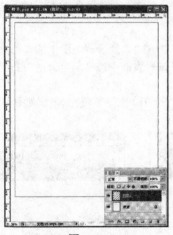

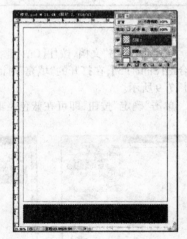

图 17-5   图 17-6

06 按下组合键【Ctrl+N】,创建背景色为透明的任意大小的文档▶▶选择单行选框工具在该文档中单击,绘制"1像素"宽的选区,然后以白色填充选区▶▶按下组合键【(2trl+D】取消选区▶▶用矩形选框工具在"1像素"宽的白色线条上绘制一个适当宽度和高度的矩形选区▶▶然后选择【编辑→定义图案】命令,如图17-7所示。

07 在打开的"图案名称"对话框中输入"白色线条"的名称▶▶单击"确定"按钮,即可完成图案的定义,如图17-8所示。

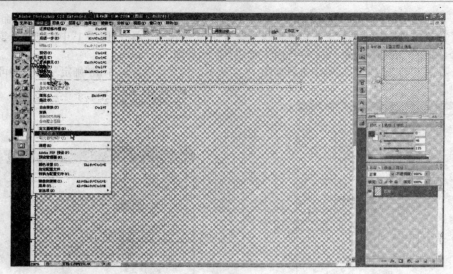

图 17-7

图 17-8

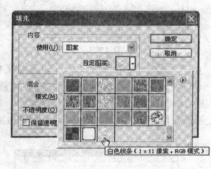

图 17-9

08 切换到"楼书"文档,按住【Ctrl】键,单击图层调板中的"图层 2",激活该图层中的矩形选区▶▶
按下组合键【Shift+F5】,在打开的"填充"对话框的"自定图案"下拉列表框中选择刚定义的"白色线条"图案,如图 17-9 所示。

09 单击"确定"按钮,即可在蓝色矩形块中进行"1 像素"宽的白色线条填充,效果如图 17-10 所示。

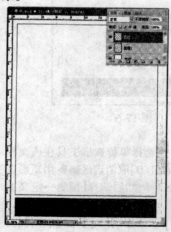

图 17-10

图 17-11

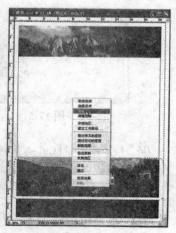

图 17-12

10 打开"光盘／第15章／楼书／山和建筑1"素材图像,在清除多余的部分后,将素材图像拖动到楼书文档中,形成"图层3"和"图层4",效果如图17-11所示。

11 选择套索工具在"图层3"中沿建筑轮廓边缘绘制所需的选区▶▶然后按下组合键【Shift+Ctrl+I】,反相选择选区▶▶再用鼠标右键在选区中单击,然后选择弹出菜单中的"羽化"命令,如图17-12所示。

12 在打开的"羽化选区"对话框中设置"羽化半径"为"50"像素(如图17-13所示)▶▶单击"确定"按钮,完成羽化的设置。

图 17-13

13 按下【Delete】键,删除选区内的图像,即可得到羽化效果▶▶再以同样的操作方法对"图层4"中的"山"图像进行"羽化"设置,效果如图17-14所示。

14 单击"图层3",然后按下组合键【(3trl+u)】,在打开的"色相／饱和度"对话框中勾选"着色"复选框▶▶然后进行如图17-15所示的色相／饱和度调整。

图 17-14

图 17-15

15 单击"确定"按钮,即可完成色相／饱和度的调整▶▶再以同样的方法对"图层4"中的"山"图像进行色相／饱和度调整,效果如图17-16所示。

16 选择直排文字工具,在图像中分别输入所需的点文字▶▶对目标文本添加斜面和浮雕等图层样式,即可得到如图17-17所示的效果。

图 17-16

图 17-17

17 最后用横排文字工具在图像中输入"销售执线"等点文字▶▶并对其添加"外发光"和"斜面和浮雕"等图层样式后,即可完成"楼书"正面的制作效果如图 17-1(左)所示。

18 创建一个与前面"楼书"文档同等尺寸的"楼书 2"文档,单击图层调板中的"创建新图层"按钮,创建"图层 1"▶▶按下组合键【Ctrl+'】,利用显示的网格分别在"图层 1"中绘制一个颜色为"暗蓝"的矩形线框。

19 打开"光盘,第 15 章,楼书健筑 2"素材图像,在清除多余的部分后,将素材图像拖动到"楼书 2"文档的上方,形成"图层 2",效果如图 17-18 所示。

20 打开"光盘 / 第 15 章 / 楼书 / 平面图 1、平面图 2 和地图"等素材图像▶▶将该图像拖动到"楼书 2"文档中,得到"图层 3"、"图层 4"和"图层 5",效果如图 17-19 所示。

21 选择文本工具,在文档中输入所需的点文字和段落文字,效果如图 17-1(右)所示。

 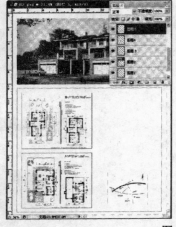 

图 17-18　　　　　　　　　　　　　　　　　　　图 17-19

17.2　海报招贴设计

案例效果:

本案例效果如图 17-20 所示。

图 17-20

案例分析:

本案例为旅游海报招贴。在案例中主要应用了自由变换、自定图案、图层蒙版、羽化命令和文本工具。在制作过程中首先羽化素材图像，然后在图层蒙版编辑模式下填充自定图案，再对其他素材图像进行图层蒙版编辑，并添加外发光函层样式即可制作完成海报招贴。

案例步骤：

01 　选择【文件→新建】命令(组合键【Ctrl+N】)▶▶通过打开的"新建"对话框创建如图 17-21 所示的新文档。

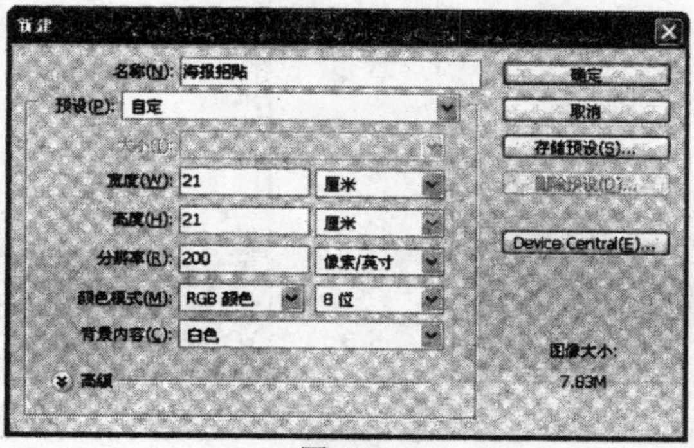

图 17-21

02 　打开"光盘 / 第 15 章 / 海报招贴 / 草原和天空"素材图像，并将该图像拖动到新文档中得到"图层 1"和"图层 2"▶▶按下组合键【Ctrl+T】，缩放图像并将其移动到所需的位置，效果如图 17-22 所示。

03 　选择套索工具，在"图层 1"中的"草原"图像上绘制一个任意形状的闭合选区▶▶然后按下组合键【Shift+Ctrl+I】，反向选择选区，如图 17-23 所示。

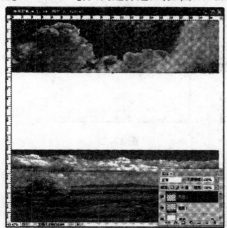

图 17-22　　　　　　　　　　　　　　　　　图 17-23

04 　在选区上单击鼠标右键，在打开的"羽化选区"对话框中输入所需的羽化半径(如图 17-24 所示)，▶▶单击"确定"按钮，即可完成选区的羽化设置。

图 17-24

05 　按下【Delete】键，删除选区内的图像，即可得到如图 17-25 所示的羽化图像效果。

06 　以同样的操作方法对"图层 2"中的"天空"图像进行羽化设置，效果如图 17-26 所示。

图 17-25　　　　　　　　　　　　　　　　图 17-26

07　按下组合键【Ctrl+N】,创建背景为白色,模式为 RGB,分辨率为 200 像素的小尺寸正方形文档,例如 0.5cm×0.5cm。

08　选择圆角矩形工具,在该文档中绘制一个与文档边缘有一定距离的圆角矩形 (如图 17-27 所示)▶▶按下组合键【Ctrl+Enter'】,将路径转换为选区,然后以黑色填充选区,效果如图 17-28 所示。

图 17-27　　　　　　　　　　　　　　　　图 17-28

名师点拨:

圆角矩形的圆角半径可以在圆角矩形工具的工具栏"半径"数值框中进行设置,半径的数值越大,矩形的外形越接近于圆形,一反之则接近于矩形。

09　按下组合键【Alt+Delete】,以系统默认前景色黑色填充选区▶▶按下组合键【Ctrl+D】,取消选区▶▶按下组合键【Ctrl+I】,反向图像,得到如图 17-29 所示的效果。

图 17-29　　　　　　　　　　　　　　　　图 17-30

10 选择【编辑→定义图案】命令,在打开的"图案名称"对话框中输入图案名称,例如,网格图案▶▶单击"确定"按钮,完成该图案的定义设置(如图 17-30 所示)▶▶最后关闭该网格图案文档。

11 单击"海报招贴"文档中的"图层 1"▶▶然后单击图层调板中"添加图层蒙版"按钮,为图层添加图层蒙版,如图 17-31 所示。

12 按住【Alt】键,并在图层调板中单击"图层 1"中的图层蒙版图标,切换到图层蒙版编辑模式▶▶然后按下组合键【Shift+F5】,在打开的"填充"对话框的"自定图案"下拉列表中选择刚才自定义的"网格图案",如图 17-32 所示。

图 17-31

图 17-32

13 单击"确定"按钮,即可为"图层 1"的图层蒙版进行网格填充,效果如图 17-33 所示。

14 单击图层调板中的草原预览图标,切换回"图层 1"的正常模式,即可得到如图 17-34 所示的给草原图像添加网格填充的效果。

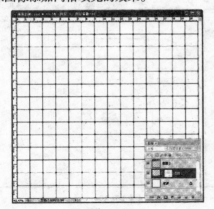

图 17-33

图 17-34

15 按住【Alt】键,在图层调板中将"图层 1"的图层蒙版图标拖动到"图层 2"中,为"图层 2"中的天空图像快速添加网格填充效果,如图 17-35 所示。

16 打开"光盘 / 第 15 章 / 海报招贴 / 飞机"素材图像,并将该图像拖动到新文档中得到"图层 3"▶▶按下组合键【Ctrl+T】,缩放飞机图像并将其移动到所需的位置,效果如图 17-36 所示。

17 单击图层调板中的"添加图层调板"按钮,为"图层 3"添加图层调板▶▶用智能选择工具选择飞机图像的灰色背景,然后通过快速蒙版得到如图 17-37 所示的选区效果。

18 单击"图层 3"的图层蒙版按钮,切换到图层蒙版▶▶然后按下组合键【Alt+Delete】,以系统默认前景色(黑色)填充选区,即可得到如图 17-38 所示的效果。

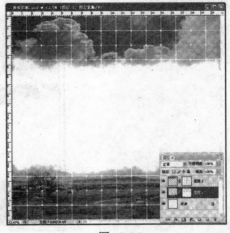

图 17-35

_19_ 按下组合键【Ctrl+D】，取消选区▶▶选择【图层→图层样式→外发光】命令，在打开的"图层样式"对话框中的"外发光"设置框中进行如图 17-39 所示的"大小"为"25"像素的白色外发光设置。

图 17-36

图 17-37

图 17-38

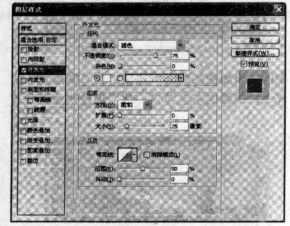

图 17-39

_20_ 单击"确定"按钮，完成外发光设置▶▶再设置"图层 3"的填充为"80%"，即可得到如图 17-40 所示的效果。

图 17-40

21 单击图层调板中的"创建新图层"按钮,创建"图层4"▶▶通过色板调板设置前景色为"纯蓝",然后用矩形选框工具在文档的底部绘制一个适当大小的矩形选区,按下组合键【Alt+Delete】,以前景色填充矩形选区▶▶按下组合键【Ctrl+D】,取消选区,得到如图17-41所示的效果。

22 选择文字工具在图像中输入颜色为"黑色"的"世界之旅"点文字▶▶再通过"字符"调板设置该点文字的字体为"方正彩云"、字号为"60点"、字符间距为"400%",效果如图17-42所示。

图 17-41   图 17-42

23 选择【图层→图层样式】命令,在打开的"图层样式"对话框中勾选"投影"、"外发光"、"斜面和浮雕"和"颜色叠加"等复选框(如图17→43所示)。其中外发光的颜色为白色,"斜面和浮雕"为内斜面。

24 单击"确定"按钮,即可得到如图17-44所示的点文字应用图层样式效果。

25 打开"光盘/第15章/海报招贴/摩托"素材图像,并将该图像拖动到文档中得到"图层5"▶▶按下组合键【Ctrl+T】,缩放该图像后将其移动到文档的右下角。创建摩托轮廓选区后,删除该图像的背景图像,得到如图17-45所示的效果。

26 选择文字工具在函像中输入所需的点文字▶▶打开"光盘/第15章/海报招贴/标志"素材图像,并将该图像拖动到新文档中▶▶按下组合键【Ctrl+T】,缩放图像并将其移动到文档的右上角,海报招贴的最终效果如图17-20所示。

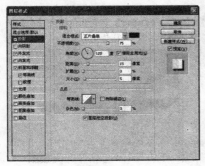

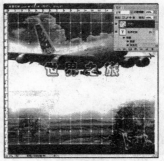

图 17-43   图 17-44   图 17-45

第18章 实物绘制案例——技能提高

本章导读：

   Photoshop 除了是制作包装、装帧和印刷品的主要工具外，同时它也是一个插画高手。通过 Photoshop 的画笔工具、路径工具和图层样式，我们可以惟妙惟肖地绘制出各种足可以假乱真的插画。

   本章通过绘制一挂海豚吊坠、一片吹翠绿的竹子和一把古色古香的折扇让读者加深对画笔、滤镜、图层样式、渐变命令、图层样式和混合模式等功能的认识。

技能提要：

   一挂吊坠。
   一片竹子。
   一把折扇。

18.1　绘制吊坠

案例效果：

   本案例效果如图 18-1 所示。

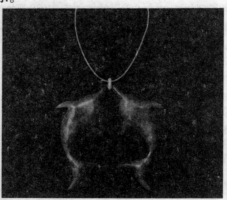

图 18-1

案例分析：

   本案例为一个玉石材质的海豚吊坠。在案例中主要应用了云彩滤镜、路径绘制工具、投影、斜面和浮雕图层样式。首先用云彩滤镜对蓝色的图层进行云彩渲染，接着再用钢笔等路径工具绘制出一个海豚图形，将路径转换为选区后反选、删除选区内的图像，再对海豚图像应用投影、斜面和浮雕图层样式，水平翻转图像副本、添加挂绳后，即可得到一个玉石质材的海豚吊坠。

案例步骤：

   _01_　选择【文件→新建】命令(组合键【Ctrl+N】)，通过"新建"对话框创建一个新文档▶▶单击图层调板中的"创建新图层"按钮，创建"图层 1"▶▶通过色板调板设置前景色为"：RGB 蓝"。按下组合键【Alt+Delete】，以 RGB 蓝填充"图层 1"。选择【滤镜→渲染→云彩】命令，对"图层 1"添加云彩滤镜效果，如图 18-2 所示。

   _02_　隐藏"图层 1"，然后用钢笔工具、椭圆工具并结合"重叠区域除外"按钮，绘制一个如图 18-3 所示的小海豚图案。

_03_ 显示"图层 1"后,按下组合键【Ctrl+Enter】,将海豚路径转换为选区(如图 18-4 所示)。按下组合键【Ctrl+Shift+I】,反向选择选区。再按下【Delete】键,删除选区内的图像,效果如图 18-5 所示。

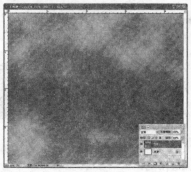

图 18-2

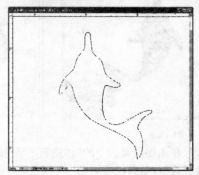

图 18-3

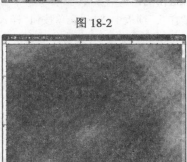

图 18-4

图 18-5

_04_ 选择【图层→图层样工→投影】命令,在"图层样式"对话框中进行如图 18-6 和图 18-7 所示的"投影"和"斜面和浮雕".样式设置。

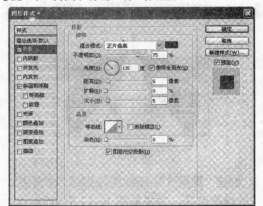

图 18-6

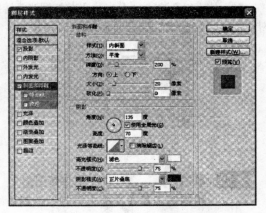

图 18-7

_05_ 单击"确定"按钮,即可得到如图 18-8 所示的效果。按下组合键【Ctrl+J】,取消选区。按下组合键【Ctrl+J】,创建"图层 1"副本。选择【编辑→变换→水平翻转】命令,然后再按下组合键【Ctrl+T】,将海豚旋转到适当的角度,效果

_06_ 用圆角矩形工具在两只小海豚的嘴巴处绘制一个如图 18-10 所示的圆角矩形。

图 18-8

图 18-9

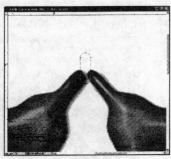
图 18-10

07 单击图层调板中的"创建新图层"按钮,创建"图层2"。然后按下组合键【Ctrl+Enter】,将圆角矩形转换成选区,对其任意填充一个颜色后,按下组合键【Ctrl+D】取消圆角矩形选区。

08 选择"样式"调板菜单中的"Web 样式"命令,然后在"样式"调板中选择"表单按钮"样式(如图18-11 所示),即可得到如图 18-12 所示的效果。

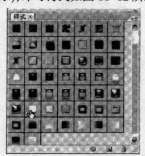
图 18-11

图 18-12

09 单击图层调板中的"创建新图层"按钮,创建"图层3"。缩放图像到适当大小后,用钢笔工具在文档中绘制一个鸡蛋形状的椭圆路径,效果如图 18-13 所示。

10 按下组合键【Ctrl 十 Enter】,将椭圆路径转换为选区。选择【编辑→描边】命令,在打开的"描边"对话框中设置描边宽度为"3px",如图 18-14 所示。

图 18-13

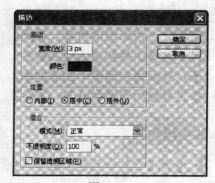
图 18-14

11 单击"确定"按钮,即可得到如图 18-15 所示的效果。按住【Ctrl】键,将图层调板中"图层2"的图层样式图标拖动到"图层3"中,对其快速添加"表单按钮"样式。将"图层3"调整到"图层2"的下方,即可得到图 18-16 所示的效果。

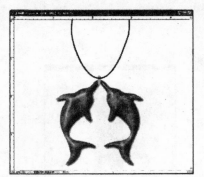

图 18-15

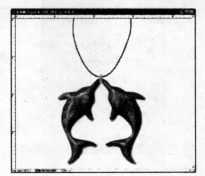

图 18-16

_12_ 将背景图层填充为黑色，即可得到如图 18-1 所示的一串质感十足的海豚吊坠。

18.2 绘制竹子

案例效果：

本案例效果如图 18-17 所示。

图 18-17

案例分析：

本案例为一片翠绿的竹林。在案例中主要应用了矩形选框工具、椭圆选框工具、渐变填充工具、涂抹工具和自由变换命令。首先用矩形选框、椭圆选框和渐变填充工具绘制出一段竹子，然后再创建多个图层副本，并结合自由变换命令将副本图像组成多棵竹子，再利用涂抹工具给竹子添加叶子，即可完成竹子的绘制。

案例步骤：

_01_ 选择【文件→新建】命令(组合键【Ctrl+N】)▶▶通过打开的"新建"对话框创建一个大小适中的新文档。

_02_ 单击图层调板中的"创建新图层"按钮，创建"图层 1"▶▶用矩形选框工具在文档中绘制一个长方形选区。

_03_ 通过色板调板设置前景色为"暗黄绿"、背景色为"浅豆青绿"。选择渐变工具，在"渐变编辑器"对话框中选择"前景到背景"，如图 18-18 所示。

_04_ 在矩形选区上用渐变工具从左向右拖动鼠标进行线性填充渐变，得到如图 18-19 所示的渐变填充效果。

_05_ 选择椭圆选框工具，在渐变填充的图像左侧绘制一个椭圆选区 (如图 18-20 所示)，按下【Delete】键删除选区内的图像。再以同样的方法删除渐变图像右侧的区域，效果如图 18-21 所示。

图 18-18

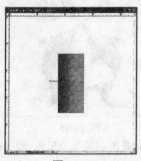

图 18-19

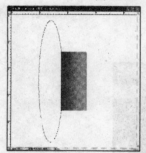

图 18-20

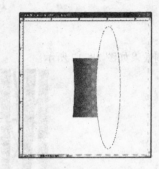

图 18-21

06 单击图层调板中的"创建新图层"按钮,创建"图层 2"。用椭圆选框工具在竹子的一头绘制出所需的椭圆选区,然后以绿色描边选区。再删除不需要的图像部分,这时竹子的竹结就绘制出来了,效果如图 18-22 所示。

07 按下组合键【Ctrl+E】,将"图层 2"与"图层 1"合并。按下组合键【Ctrl+T】,将绘制好的竹子缩放到适当大小,按下组合键【Ctrl+J】创建多个图层副本,并将其摆放到相应的位置上,这时一根竹子就组合成了,效果如图 18-23 所示。

图 18-22

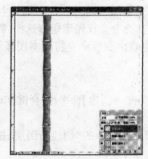

图 18-23

08 按住【Shift】键,连续选择"图层 1"和其副本图层,按下组合键【Ctrl+E】,合并所选图层。按下组合键【Ctrl+J】,再次创建多根竹子图层副本。按下组合键【Ctrl+T】,对目标竹子图像进行缩放、旋转,然后将其摆放到所需的位置,再对其进行图层顺序的调整,这时一片竹林已经初见成效了,效果如图 18-24 所示。

09 单击图层调板中的"创建新图层"按钮,创建一个位于顶层的新图层。然后选择涂抹工具,在其工具栏中设置"强度"为"70%",并勾选"手指绘画"复选框。然后用涂抹工具在新图层中绘制出如图18-25所示的竹叶。

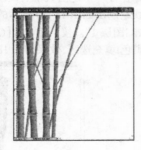

图 18-24

图 18-25

10 将竹叶图层合并后,按下组合键【Ctrl+J】创建多个竹叶图像副本图层,然后将其摆放到所需的位置上,效果如图 18-26 所示。

11 打开"第 18 章 / 竹子 / 风景"图像,然后将其拖动到竹子文档中并摆列到竹子图层的下方,效果如图 18-27 所示。对该风景图像进行羽化删除后,即可得到如图 18-17 所示的最终效果。

图 18-26

图 18-27

18.3　绘制折扇

案例效果:

本案例效果如图 18-28 所示。

图 18-28

案例分析:

本案例为一把具有中国画图案的折扇。在案例中主要应用了钢笔工具、斜面和浮雕图层样式、自由变换命令和叠加图层混合模式。首先结合网格用钢笔工具绘制出扇子的一节杆,将其转换为选区后填充颜色,对其添加斜面和浮雕图层样式后,水平翻转副本图像。接下来以类似的方法绘制出扇面,旋转扇面副本图像后,将素材图像的图层混合模式设置为"叠加",即可完成折扇绘制。

Photoshop 创意与设计一本通

素例步骤：

01 选择【文件→新建】命令，通过"新建"对话框创建一个适当大小的文档。按下组合键【Ctrl+'】在文档中显示出网格，然后用钢笔工具以网格为参考线绘制出如图 18-29 所示的路径。

02 单击图层调板中的"创建新图层"按钮，创建"图层 1"。按下组合键【Ctrl+Enter】，将路径转换成选区，按下组合键【Alt+Delete】，以系统默认前景色(黑色)填充选区，效果如图 18-30 所示。

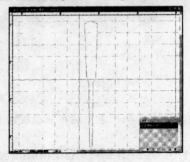

图 18-29

图 18-30

03 按下组合键【Ctrlq-D】，取消选区。然后按下组合键【Ctrl+T】，旋转图像，效果如图 18-31 所示。

04 双击"图层 1"，在打开的"图层样式"对话框中勾选"斜面和浮雕"复选框，单击"确定"按钮，即可得到如图 18-32 所示的效果。

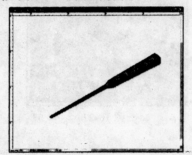

图 18-31

图 18-32

05 按下组合键【Ctrl+J】，创建"图层 1"副本。选择【编辑→变换→水平翻转】命令，水平翻转"图层1"副本，然后用移动工具将其移到文档的左侧，效果如图 18-33 所示。

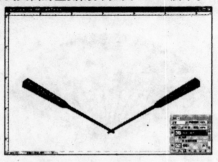

图 18-33

06 单击图层调板中的"创建新图层"按钮，创建"图层 2"。然后用钢笔工具绘制出如图 18-34 所示的路径。按下组合键【Ctrl+Delete】，将路径转换成选区，然后以 40% 的灰色填充选区，得到如图 18-35 所示的效果。

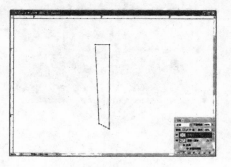

图 18-34   图 18-35

_07_ 选择【选择→变换选区】命令，在变换框工具栏中设置变换参考点为⊞。在变换框上单击鼠标右键，选择快捷菜单中的"水平翻转"命令(如图 18-36 所示)，水平翻转选区。以 60%的灰色填充选区，效果如图 18-37 所示。

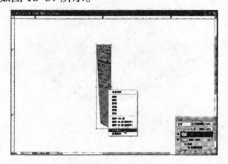

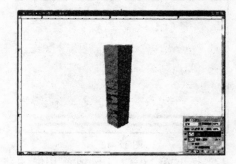

图 18-36   图 18-37

_08_ 按下组合键【Ctrl+T】，旋转并将该图像移至扇骨处，效果如图 18-38 所示。再创建多个"图层 2"副本，并变换参考点，将其移至扇把的交汇点处，分别对这些图层副本进行旋转变换，即可得到如图 18-39 所示的一把具有扇面的扇子。

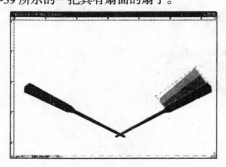

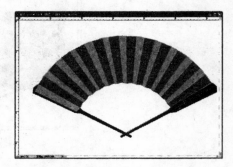

图 18-38   图 18-39

_09_ 单击图层调板中的"创建新图层"按钮，创建位于扇面下方的新图层。用矩形选框工具在该图层上绘制一矩形选区，然后以黑色填充，对其添加"斜面和浮雕"图层样式后，移动、旋转到所需的位置上，效果如图 18-40 所示。

_10_ 以复制扇面的方法复制多个矩形图像，分别对其进行旋转后，即可得到如图 18-41 所示的扇子效果。

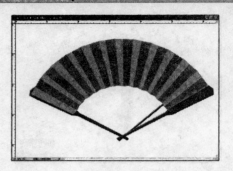

图 18-41

图 18-40

11 合并所有扇面图层,然后按下组合键【Ctrl+u】,在打开的"色相,饱和度"对话框中勾选"着色"复选框,然后进行如图 18-42 所示参数设置。单击"确定"按钮,得到如图 18-43 所示的效果。

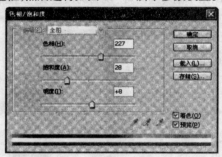

图 18-42

图 18-43

12 打开"第 18 章 / 扇子,扇面"图像,并将其拖动到扇子文档中,将扇面素材图像缩放到适当大小(如图 18-44 所示),设置该图像的混合模式为"叠加"。再对该图像进行色彩平衡、亮度,对比度调整后,删除图像中不需要的部分,即可得到如图 18-28 所示的扇子最终效果。

图 18-44